G000256816

Cyrano
de Bergerac

Première de couverture : © Artcomart.
Deuxième de couverture : [h] © Sunrgia / Christophel [b] © Rue des Archives / Tal.
Troisième de couverture : © BM Palazon.
Page 6 : © Mary Evans / Rue des Archives.
Page 79 : © Nizet, 1992. Dessin d'André Degaine dans son *Histoire du théâtre dessinée*.
Page 338 : © Rue des Archives / PVDE.

© Éditions Belin/Éditions Gallimard, 2011 pour l'introduction, les notes et le dossier
pédagogique.

Le code de la propriété intellectuelle n'autorise que « les copies ou reproductions strictement réservées à
l'usage privé du copiste et non destinées à une utilisation collective » [article L. 122-5] ; il autorise également
les courtes citations effectuées dans un but d'exemple ou d'illustration. En revanche « toute représentation
ou reproduction intégrale ou partielle, sans le consentement de l'auteur ou de ses ayants droit ou ayants
cause, est illicite » [article L. 122-4].
La loi 95-4 du 3 janvier 1994 a confié au C.F.C. (Centre français de l'exploitation du droit de copie, 20, rue
des Grands-Augustins, 75006 Paris), l'exclusivité de la gestion du droit de reprographie. Toute photocopie
d'œuvres protégées, exécutée sans son accord préalable, constitue une contrefaçon sanctionnée par les
articles 425 et suivants du Code pénal.

ISBN 978-2-7011-5640-8
ISSN 1958-0541

CLASSICOCOLLÈGE

Cyrano de Bergerac

Comédie héroïque en cinq actes, en vers

EDMOND ROSTAND

Dossier par Pierre Troullier
Certifié de lettres modernes

BELIN ■ GALLIMARD

Sommaire

Le comédien Coquelin dans *Cyrano de Bergerac* mis en scène au Théâtre de la Porte Saint-Martin à Paris, 1900. ➡ Voir la dédicace de Rostand, p. 8.

Introduction

Le 28 décembre 1897, soir de la première représentation, *Cyrano de Bergerac* connaît un accueil triomphal. Son auteur, qui n'a même pas trente ans, connaît certes le succès depuis trois ans déjà, mais cette fois, le retentissement sera tel que sa pièce, inspirée de la vie de l'écrivain français Savinien de Cyrano de Bergerac (1619-1655), lui apportera la Légion d'honneur quatre jours après la première et le fera élire à l'Académie française quatre ans plus tard.

Edmond Rostand a soigneusement dosé les différents ingrédients de ce grand drame : amour, action, rire, larmes, tout ou presque est dans *Cyrano*. Grâce au rythme des vers et à leurs rimes, les répliques, comme les coups d'épée du héros, font mouche à tous les coups. On ne s'étonne pas que la Comédie-Française, après quarante années passées sans la jouer, ait remis la pièce au goût du jour depuis 2006.

C'est à l'âme de CYRANO
que je voulais dédier ce poème.
Mais puisqu'elle a passé en vous,
COQUELIN, c'est à vous que je le dédie.

E. R.

Personnages

Cyrano de Bergerac

Christian de Neuvillette

Comte de Guiche

Ragueneau

Le Bret

Le capitaine Carbon de Castel-Jaloux

Les cadets

Lignière

De Valvert

Un marquis

Deuxième marquis

Troisième marquis

Montfleury

Bellerose

Jodelet

Cuigy

Brissaille

Un fâcheux

Un mousquetaire

Un autre

Un officier espagnol

Un chevau-léger

Le portier

Un bourgeois

Son fils

UN TIRE-LAINE

UN SPECTATEUR

UN GARDE

BERTRANDOU LE FIFRE

LE CAPUCIN

DEUX MUSICIENS

LES PAGES

LES POÈTES

LES PÂTISSIERS

ROXANE

SŒUR MARTHE

LISE

LA DISTRIBUTRICE DES DOUCES LIQUEURS

MÈRE MARGUERITE DE JÉSUS

LA DUÈGNE

SŒUR CLAIRE

UNE COMÉDIENNE

LA SOUBRETTE

LA BOUQUETIÈRE

La foule, bourgeois, marquis, mousquetaires, tire-laine, pâtissiers, poètes, cadets gascons, comédiens, violons, pages, enfants, soldats, espagnols, spectateurs, spectatrices, précieuses, comédiennes, bourgeoises, religieuses, etc.

(Les quatre premiers actes en 1640, le cinquième en 1655.)

ACTE I

Une représentation
à l'Hôtel de Bourgogne[1]

La salle de l'Hôtel de Bourgogne, en 1640. Sorte de hangar de jeu de paume aménagé et embelli pour des représentations.

La salle est un carré long; on la voit en biais, de sorte qu'un de ses côtés forme le fond qui part du premier plan, à droite, et va au dernier plan, à gauche, faire angle avec la scène qu'on aperçoit en pan coupé.

Cette scène est encombrée, des deux côtés, le long des coulisses, par des banquettes. Le rideau est formé par deux tapisseries qui peuvent s'écarter. Au-dessus du manteau d'Arlequin[2], les armes royales. On descend de l'estrade dans la salle par de larges marches. De chaque côté de ces marches, la place des violons. Rampe de chandelles.

Deux rangs superposés de galeries latérales: le rang supérieur est divisé en loges. Pas de sièges au parterre, qui est la scène même du théâtre; au fond de ce parterre, c'est-à-dire à droite, premier plan, quelques bancs formant gradins et, sous un escalier qui monte vers des places supérieures et dont on ne voit que le départ, une sorte de buffet orné de petits lustres, de vases fleuris, de verres de cristal, d'assiettes de gâteaux, de flacons, etc.

Au fond, au milieu, sous la galerie de loges, l'entrée du théâtre. Grande porte qui s'entrebâille pour laisser passer les spectateurs. Sur les battants de cette porte, ainsi que dans plusieurs coins et au-dessus du buffet, des affiches rouges sur lesquelles on lit: La Clorise.

Au lever du rideau, la salle est dans une demi-obscurité, vide encore. Les lustres sont baissés au milieu du parterre, attendant d'être allumés.

---

1. Hôtel de Bourgogne : ancien palais devenu salle de théâtre à partir de 1548.
2. Manteau d'Arlequin : cadre décoré, placé le long du rideau pour réduire la partie de la scène visible par les spectateurs.

Scène 1

LE PUBLIC, *qui arrive peu à peu.* CAVALIERS,
BOURGEOIS, LAQUAIS[1], PAGES, TIRE-LAINE[2], LE PORTIER, *etc.,*
puis LES MARQUIS, CUIGY, BRISSAILLE, LA DISTRIBUTRICE,
LES VIOLONS, *ETC.*

On entend derrière la porte un tumulte de voix, puis un cavalier entre brusquement.

LE PORTIER, *le poursuivant.*

Holà! vos quinze sols[3]!

LE CAVALIER

J'entre gratis!

LE PORTIER

Pourquoi?

LE CAVALIER

Je suis chevau-léger[4] de la maison du Roi!

LE PORTIER, *à un autre cavalier qui vient d'entrer.*

Vous?

DEUXIÈME CAVALIER

Je ne paye pas!

LE PORTIER

Mais…

DEUXIÈME CAVALIER

Je suis mousquetaire.

---

1. **Laquais** : valets.
2. **Tire-laine** : voleur.
3. **Quinze sols** : quinze sous.
4. **Chevau-léger** : cavalier de la garde du roi.

PREMIER CAVALIER, *au deuxième.*
On ne commence qu'à deux heures. Le parterre
5 Est vide. Exerçons-nous au fleuret[1].

Ils font des armes avec des fleurets qu'ils ont apportés.

UN LAQUAIS, *entrant.*
Pst… Flanquin…

UN AUTRE, *déjà arrivé.*
Champagne ?…

LE PREMIER, *lui montrant
des jeux qu'il sort de son pourpoint*[2].
Cartes. Dés.

Il s'assied par terre.
Jouons.

LE DEUXIÈME, *même jeu.*
Oui, mon coquin.

PREMIER LAQUAIS, *tirant de sa poche
un bout de chandelle qu'il allume et colle par terre.*
J'ai soustrait à mon maître un peu de luminaire.

UN GARDE, *à une bouquetière qui s'avance.*
C'est gentil de venir avant que l'on n'éclaire !…

Il lui prend la taille.

UN DES BRETTEURS[3], *recevant un coup de fleuret.*
Touche !

UN DES JOUEURS
Trèfle !

LE GARDE, *poursuivant la fille.*
Un baiser !

1. **Fleuret** : épée dont on se sert à l'escrime.
2. **Pourpoint** : sorte de chemise faite de tissu très épais.
3. **Bretteurs** : personnes habituées à se battre à l'épée.

> **LA BOUQUETIÈRE**, *se dégageant.*
> On voit !…

> **LE GARDE**, *l'entraînant dans les coins sombres.*
> Pas de danger !

> **UN HOMME**, *s'asseyant par terre*
> *avec d'autres porteurs de provisions de bouche.*
10   Lorsqu'on vient en avance, on est bien pour manger.

> **UN BOURGEOIS**, *conduisant son fils.*
Plaçons-nous là, mon fils.

> **UN JOUEUR**
> Brelan d'as !

> **UN HOMME**, *tirant une bouteille*
> *de sous son manteau et s'asseyant aussi.*
> Un ivrogne
Doit boire son bourgogne…

> > *Il boit.*
> à l'hôtel de Bourgogne !

> **LE BOURGEOIS**, *à son fils.*
Ne se croirait-on pas en quelque mauvais lieu ?
> *Il montre l'ivrogne du bout de sa canne.*
Buveurs…

> > *En rompant, un des cavaliers le bouscule.*
> Bretteurs !

> > *Il tombe au milieu des joueurs.*
> Joueurs !

> **LE GARDE**, *derrière lui,*
> *lutinant*[1] *toujours la femme.*
> Un baiser !

---

1. **Lutinant** : essayant de séduire.

LE BOURGEOIS, *éloignant vivement son fils.*
Jour de Dieu !
15 – Et penser que c'est dans une salle pareille
Qu'on joua du Rotrou[1], mon fils !

LE JEUNE HOMME
Et du Corneille !

UNE BANDE DE PAGES, *se tenant
par la main, entre en farandole et chante.*
Tra la la la la la la la la la lère…

LE PORTIER, *sévèrement aux pages.*
Les pages, pas de farce !…

PREMIER PAGE, *avec une dignité blessée.*
Oh ! Monsieur ! ce soupçon !…
Vivement au deuxième, dès que le portier a tourné le dos.
As-tu de la ficelle ?

LE DEUXIÈME
Avec un hameçon.

PREMIER PAGE
On pourra de là-haut pêcher quelque perruque.

UN TIRE-LAINE, *groupant autour de lui
plusieurs hommes de mauvaise mine.*
20 Or çà, jeunes escrocs, venez qu'on vous éduque :
Puis donc que[2] vous volez pour la première fois…

DEUXIÈME PAGE, *criant à d'autres pages
déjà placés aux galeries supérieures.*
Hep ! Avez-vous des sarbacanes ?

TROISIÈME PAGE, *d'en haut.*
Et des pois !

---

1. Rotrou (1609-1650) : auteur de tragédies.
2. Puis donc que : puisque.

Il souffle et les crible de pois.

LE JEUNE HOMME, *à son père.*

Que va-t-on nous jouer?

LE BOURGEOIS
Clorise.

LE JEUNE HOMME
De qui est-ce?

LE BOURGEOIS
De monsieur Balthazar Baro. C'est une pièce!...

Il remonte au bras de son fils.

LE TIRE-LAINE, *à ses acolytes[1].*
25 ... La dentelle surtout des canons[2], coupez-la!

UN SPECTATEUR, *à un autre,*
lui montrant une encoignure élevée.
Tenez, à la première du Cid[3], j'étais là!

LE TIRE-LAINE, *faisant avec ses doigts*
le geste de subtiliser.
Les montres...

LE BOURGEOIS, *redescendant, à son fils.*
Vous verrez des acteurs très illustres.

LE TIRE-LAINE, *faisant le geste*
de tirer par petites secousses furtives.
Les mouchoirs...

LE BOURGEOIS
Montfleury...

---

1. Acolytes : complices.
2. Canons : décorations vestimentaires attachées sous les genoux.
3. Première du Cid : première représentation du *Cid*, pièce de Corneille, en 1637.

QUELQU'UN, *criant de la galerie supérieure.*
Allumez donc les lustres !

LE BOURGEOIS
Bellerose, l'Épy, la Beaupré, Jodelet[1] !

UN PAGE, *au parterre.*
30 Ah ! voici la distributrice[2] !...

LA DISTRIBUTRICE, *paraissant derrière le buffet.*
Oranges, lait,
Eau de framboise, aigre de cèdre[3]...

Brouhaha à la porte.

UNE VOIX DE FAUSSET[4]
Place[5], brutes !

UN LAQUAIS, *s'étonnant.*
Les marquis !... au parterre ?...

UN AUTRE LAQUAIS
Oh ! pour quelques minutes.

Entre une bande de petits marquis.

UN MARQUIS, *voyant la salle à moitié vide.*
Hé quoi ! Nous arrivons ainsi que les drapiers,
Sans déranger les gens ? sans marcher sur les pieds ?
35 Ah ! fi[6] ! fi ! fi !

Il se trouve devant d'autres gentilshommes[7] entrés peu avant.
Cuigy ! Brissaille !

Grandes embrassades.

---

1. **Bellerose, l'Épy, la Beaupré, Jodelet** : comédiens du XVIIᵉ siècle.
2. **Distributrice** : marchande de boissons, équivalent de l'ouvreuse aujourd'hui.
3. **Aigre de cèdre** : boisson citronnée.
4. **Voix de fausset** : voix très aiguë.
5. **Place** : laissez-moi passer.
6. **Fi** : interjection qui marque la réprobation.
7. **Gentilshommes** : hommes nobles de naissance.

CUIGY

Des fidèles!…

Mais oui, nous arrivons devant que[1] les chandelles…

LE **MARQUIS**

Ah! ne m'en parlez pas! Je suis dans une humeur…

UN **AUTRE**

Console-toi, marquis, car voici l'allumeur!

LA **SALLE**, *saluant l'entrée de l'allumeur.*

Ah!…

On se groupe autour des lustres qu'il allume. Quelques personnes ont pris place aux galeries. Lignière entre au parterre, donnant le bras à Christian de Neuvillette. Lignière, un peu débraillé, figure d'ivrogne distingué. Christian, vêtu élégamment, mais d'une façon un peu démodée, paraît préoccupé et regarde les loges.

Scène 2

LES **MÊMES**, **C**HRISTIAN, **L**IGNIÈRE,
puis **R**AGUENEAU *et* **L**E **B**RET

CUIGY

Lignière!

BRISSAILLE, *riant.*

Pas encor gris[2]!…

LIGNIÈRE, *bas à Christian.*

Je vous présente?

---

1. Devant que : avant que.
2. Pas encor gris : pas encore ivre (orthographe vieillie utilisée pour respecter la mesure de l'alexandrin).

Signe d'assentiment[1] *de Christian.*

40 Baron de Neuvillette.

Saluts.

LA SALLE, *acclamant*
l'ascension du premier lustre allumé.
Ah !

CUIGY, *à Brissaille, en regardant Christian.*
La tête est charmante.

PREMIER MARQUIS, *qui a entendu.*
Peuh !...

LIGNIÈRE, *présentant à Christian.*
Messieurs de Cuigy, de Brissaille.

CHRISTIAN, *s'inclinant.*
Enchanté !

PREMIER MARQUIS, *au deuxième.*
Il est assez joli, mais n'est pas ajusté[2]
Au dernier goût.

LIGNIÈRE, *à Cuigy.*
Monsieur débarque de Touraine.

CHRISTIAN
Oui, je suis à Paris depuis vingt jours à peine.
45 J'entre aux gardes demain, dans les cadets[3].

PREMIER MARQUIS, *regardant*
les personnes qui entrent dans les loges.
Voilà
La présidente Aubry !

---

1. Assentiment : accord.
2. Ajusté : vêtu.
3. Cadets : régiment de jeunes nobles apprenant le métier des armes.

LA DISTRIBUTRICE
Oranges, lait.

LES VIOLONS, *s'accordant.*
La… la…

CUIGY, *à Christian,*
lui désignant la salle qui se garnit.
Du monde !

CHRISTIAN
Eh ! oui, beaucoup.

PREMIER MARQUIS
Tout le bel air[1] !

Ils nomment les femmes à mesure qu'elles entrent, très parées, dans les loges. Envois de saluts, réponses de sourires.

DEUXIÈME MARQUIS
Mesdames
De Guéméné…

CUIGY
De Bois-Dauphin…

PREMIER MARQUIS
Que nous aimâmes.

BRISSAILLE
De Chavigny…

DEUXIÈME MARQUIS
Qui de nos cœurs va se jouant !

LIGNIÈRE
50 Tiens, monsieur de Corneille est arrivé de Rouen.

---

1. Tout le bel air : les manières élégantes.

LE JEUNE HOMME, *à son père.*

L'Académie[1] est là ?

LE BOURGEOIS

Mais… j'en vois plus d'un membre :
Voici Boudu, Boissat, et Cureau de la Chambre ;
Porchères, Colomby, Bourzeys, Bourdon, Arbaud…
Tous ces noms dont pas un ne mourra, que c'est beau !

PREMIER MARQUIS

55 Attention ! nos précieuses prennent place
Barthénoïde, Urimédonte, Cassandace,
Félixérie[2]…

DEUXIÈME MARQUIS, *se pâmant[3].*

Ah ! Dieu ! leurs surnoms sont exquis !
Marquis, tu les sais tous ?

PREMIER MARQUIS

Je les sais tous, marquis !

LIGNIÈRE, *prenant Christian à part.*

Mon cher, je suis entré pour vous rendre service :
60 La dame ne vient pas. Je retourne à mon vice[4] !

CHRISTIAN, *suppliant.*

Non !… Vous qui chansonnez[5] et la ville et la cour,
Restez : vous me direz pour qui je meurs d'amour.

LE CHEF DES VIOLONS, *frappant
sur son pupitre, avec son archet.*

Messieurs les violons !…

Il lève son archet.

---

1. L'Académie : l'Académie française, prestigieuse institution littéraire française.
2. Les précieuses, femmes recherchant un langage et des manières raffinés, aimaient s'inventer des noms sophistiqués.
3. Se pâmant : en proie à une forte émotion.
4. Vice : penchant que la morale réprouve.
5. Chansonner : faire des chansons qui se moquent de quelqu'un.

LA DISTRIBUTRICE

Macarons, citronnée…

Les violons commencent à jouer.

CHRISTIAN

J'ai peur qu'elle ne soit coquette et raffinée,

65 Je n'ose lui parler car je n'ai pas d'esprit[1]…

Le langage aujourd'hui qu'on parle et qu'on écrit,

Me trouble. Je ne suis qu'un bon soldat timide.

– Elle est toujours, à droite, au fond : la loge vide.

LIGNIÈRE, *faisant mine de sortir.*

Je pars.

CHRISTIAN, *le retenant encore.*

Oh ! non, restez !

LIGNIÈRE

Je ne peux. D'Assoucy[2]

70 M'attend au cabaret. On meurt de soif, ici.

LA DISTRIBUTRICE,

passant devant lui avec un plateau.

Orangeade ?

LIGNIÈRE

Fi !

LA DISTRIBUTRICE

Lait ?

LIGNIÈRE

Pouah !

LA DISTRIBUTRICE

Rivesalte[3] ?

---

1. Je n'ai pas d'esprit : je ne suis pas intelligent.
2. D'Assoucy : écrivain et musicien qui fut très lié avec le vrai Cyrano de Bergerac.
3. Rivesalte : vin doux des Pyrénées-Atlantiques.

LIGNIÈRE
Halte !

À Christian.

Je reste encor un peu. – Voyons ce rivesalte ?

Il s'assied près du buffet.
La distributrice lui verse du rivesalte.

CRIS, *dans le public à l'entrée*
d'un petit homme grassouillet et réjoui.
Ah ! Ragueneau !...

LIGNIÈRE, *à Christian.*
Le grand rôtisseur Ragueneau.

RAGUENEAU, *costume de pâtissier*
endimanché, s'avançant vivement vers Lignière.
Monsieur, avez-vous vu monsieur de Cyrano ?

LIGNIÈRE, *présentant Ragueneau à Christian.*
75 Le pâtissier des comédiens et des poètes !

RAGUENEAU, *se confondant.*
Trop d'honneur...

LIGNIÈRE
Taisez-vous, Mécène[1] que vous êtes !

RAGUENEAU
Oui, ces messieurs chez moi se servent...

LIGNIÈRE
À crédit.
Poète de talent lui-même...

RAGUENEAU
Ils me l'ont dit.

---

1. Mécène : personne qui protège et rémunère les artistes, d'après le nom d'un riche Romain amateur d'art du Ier siècle avant J.-C.

LIGNIÈRE

Fou de vers !

RAGUENEAU

Il est vrai que pour une odelette[1]…

LIGNIÈRE

80   Vous donnez une tarte…

RAGUENEAU

Oh ! une tartelette !

LIGNIÈRE

Brave homme, il s'en excuse !… Et pour un triolet[2]
Ne donnâtes-vous pas ?

RAGUENEAU

Des petits pains !

LIGNIÈRE, *sévèrement.*
                              Au lait.

– Et le théâtre ! vous l'aimez ?

RAGUENEAU

Je l'idolâtre[3].

LIGNIÈRE

Vous payez en gâteaux vos billets de théâtre !
85   Votre place, aujourd'hui, là, voyons, entre nous,
Vous a coûté combien ?

RAGUENEAU

Quatre flans. Quinze choux.

                              Il regarde de tous côtés.
Monsieur de Cyrano n'est pas là ? Je m'étonne.

---

1. Odelette : petite ode, poème célébrant une personne ou un événement.
2. Triolet : petit poème de huit vers, fondé sur le retour de certains d'entre eux.
3. Je l'idolâtre : je l'adore comme une divinité.

LIGNIÈRE

Pourquoi?

RAGUENEAU

Montfleury joue!

LIGNIÈRE

En effet, cette tonne
Va nous jouer ce soir le rôle de Phédon.
90 Qu'importe à Cyrano?

RAGUENEAU

Mais vous ignorez donc?
Il fit à Montfleury, messieurs, qu'il prit en haine,
Défense, pour un mois, de reparaître en scène.

LIGNIÈRE, *qui en est à son quatrième petit verre.*

Eh bien?

RAGUENEAU

Montfleury joue!

CUIGY, *qui s'est rapproché de son groupe.*
Il n'y peut rien.

RAGUENEAU

Oh! oh!

Moi, je suis venu voir!

PREMIER MARQUIS
Quel est ce Cyrano?

CUIGY

95 C'est un garçon versé dans les colichemardes[1].

DEUXIÈME MARQUIS

Noble?

---

1. **Colichemardes** : épées.

CUIGY

Suffisamment. Il est cadet aux gardes.

> *Montrant un gentilhomme qui va et vient*
> *dans la salle comme s'il cherchait quelqu'un.*

Mais son ami Le Bret peut vous dire…

> *Il appelle.*

Le Bret !

> *Le Bret descend vers eux.*

Vous cherchez Bergerac ?

LE BRET

Oui, je suis inquiet !…

CUIGY

N'est-ce pas que cet homme est des moins ordinaires ?

LE BRET, *avec tendresse.*

100   Ah ! c'est le plus exquis des êtres sublunaires[1] !

RAGUENEAU

Rimeur !

CUIGY

Bretteur !

BRISSAILLE

Physicien !

LE BRET

Musicien !

LIGNIÈRE

Et quel aspect hétéroclite[2] que le sien !

RAGUENEAU

Certes, je ne crois pas que jamais nous le peigne
Le solennel monsieur Philippe de Champaigne[3].

---

1. Sublunaires : qui se situent sous la lune.
2. Hétéroclite : composé d'éléments très différents.
3. Philippe de Champaigne (1602-1674) : peintre, habitué aux sujets religieux et politiques.

105 Mais bizarre, excessif, extravagant, falot,
Il eût fourni, je pense, à feu Jacques Callot[1]
Le plus fol spadassin[2] à mettre entre ses masques :
Feutre à panache[3] triple et pourpoint à six basques,
Cape, que par-derrière, avec pompe, l'estoc[4]
110 Lève, comme une queue insolente de coq,
Plus fier que tous les Artabans[5] dont la Gascogne
Fut et sera toujours l'alme Mère Gigogne[6],
Il promène, en sa fraise à la Pulcinella[7],
Un nez !… Ah ! messeigneurs, quel nez que ce nez-là !…
115 On ne peut voir passer un pareil nasigère
Sans s'écrier : « Oh ! non, vraiment, il exagère ! »
Puis on sourit, on dit : « Il va l'enlever… » Mais,
Monsieur de Bergerac ne l'enlève jamais.

LE BRET, *hochant la tête.*
Il le porte, – et pourfend[8] quiconque le remarque !

RAGUENEAU, *fièrement.*
120 Son glaive est la moitié des ciseaux de la Parque[9].

PREMIER MARQUIS, *haussant les épaules.*
Il ne viendra pas !

RAGUENEAU
Si !… Je parie un poulet
À la Ragueneau !

---

1. Jacques Callot (1592-1635) : dessinateur et graveur connu pour ses scènes de guerre.
2. Spadassin : homme qui se bat à l'épée.
3. Feutre à panache : chapeau orné d'un bouquet de plumes.
4. Estoc : pointe de l'épée.
5. Les Artabans : Artaban est un personnage d'un roman précieux du xviie siècle, particulièrement fier.
6. L'alme Mère Gigogne : la mère nourricière.
7. Pulcinella : personnage de Polichinelle dans la *commedia dell'arte*.
8. Pourfend : fend complètement.
9. La Parque : dans la mythologie romaine, les Parques étaient des divinités dévidant le fil de la vie des humains, que la troisième coupait au moyen de ses ciseaux.

LE MARQUIS, *riant.*

Soit!

Rumeurs d'admiration dans la salle. Roxane vient de paraître dans sa loge. Elle s'assied sur le devant, sa duègne[1] prend place au fond, Christian, occupé à payer la distributrice, ne regarde pas.

DEUXIÈME MARQUIS, *avec des petits cris.*

Ah! messieurs! mais elle est
Épouvantablement ravissante!

PREMIER MARQUIS

Une pêche
Qui sourirait avec une fraise!

DEUXIÈME MARQUIS

Et si fraîche
125 Qu'on pourrait, l'approchant, prendre un rhume de cœur!

CHRISTIAN, *lève la tête, aperçoit Roxane,
et saisit vivement Lignière par le bras.*

C'est elle!

LIGNIÈRE, *regardant.*

Ah! c'est elle?…

CHRISTIAN

Oui. Dites vite. J'ai peur.

LIGNIÈRE, *dégustant son rivesalte à petits coups.*

Magdeleine Robin, dite Roxane. – Fine.
Précieuse.

CHRISTIAN

Hélas!

LIGNIÈRE

Libre. Orpheline. Cousine

---

1. Duègne : femme d'âge mûr qui veille sur la conduite d'une jeune femme.

De Cyrano, – dont on parlait…

À ce moment, un seigneur très élégant, le cordon bleu en sautoir[1], entre dans la loge et, debout, cause un instant avec Roxane.

CHRISTIAN, *tressaillant.*

Cet homme?…

LIGNIÈRE, *qui commence à être gris,*
clignant de l'œil.

Hé! Hé!…

130   – Comte de Guiche. Épris d'elle. Mais marié
À la nièce d'Armand de Richelieu. Désire
Faire épouser Roxane à certain triste sire,
Un monsieur de Valvert, vicomte… et complaisant.
Elle n'y souscrit pas[2], mais de Guiche est puissant:
135   Il peut persécuter une simple bourgeoise.
D'ailleurs j'ai dévoilé sa manœuvre sournoise
Dans une chanson qui… Ho! il doit m'en vouloir!
– La fin était méchante… Écoutez…

Il se lève en titubant, le verre haut, prêt à chanter.

CHRISTIAN

Non. Bonsoir.

LIGNIÈRE

Vous allez?

CHRISTIAN

Chez monsieur de Valvert!

LIGNIÈRE

Prenez garde:

140   C'est lui qui vous tuera!

Lui désignant du coin de l'œil Roxane.

Restez. On vous regarde.

---

1. En sautoir : autour du cou.
2. Elle n'y souscrit pas : elle n'est pas d'accord.

CHRISTIAN

C'est vrai !

Il reste en contemplation. Le groupe de tire-laine, à partir de ce moment, le voyant la tête en l'air et la bouche bée, se rapproche de lui.

LIGNIÈRE

C'est moi qui pars. J'ai soif ! Et l'on m'attend
– Dans des tavernes !

Il sort en zigzaguant.

LE **B**RET, *qui a fait le tour de la salle,*
revenant vers Ragueneau, d'une voix rassurée.
Pas de Cyrano.

RAGUENEAU, *incrédule.*
Pourtant…

LE **B**RET

Ah ! je veux espérer qu'il n'a pas vu l'affiche !

LA SALLE, *trépignante.*

Commencez ! Commencez !

Scène 3

LES MÊMES, *moins* **L**IGNIÈRE ; **D**E **G**UICHE,
VALVERT, *puis* **M**ONTFLEURY

UN MARQUIS, *voyant de Guiche, qui descend*
de la loge de Roxane, traverse le parterre, entouré de seigneurs
obséquieux, parmi lesquels le vicomte de Valvert.
Quelle cour, ce de Guiche !

Un autre

145 Fi!... Encore un Gascon[1]!

Le premier

Le Gascon souple et froid,
Celui qui réussit!... Saluons-le, crois-moi.

Ils vont vers de Guiche.

Deuxième marquis

Les beaux rubans! Quelle couleur, comte de Guiche?
Baise-moi-ma-mignonne ou bien Ventre-de-biche?

De Guiche

C'est couleur Espagnol malade.

Premier marquis

La couleur
150 Ne ment pas, car bientôt, grâce à votre valeur,
L'Espagnol ira mal, dans les Flandres[2]!

De Guiche

Je monte
Sur scène. Venez-vous?

*Il se dirige suivi de tous les marquis et gentilshommes vers le théâtre.
Il se retourne et appelle.*

Viens, Valvert!

Christian, *qui les écoute et les observe,*
tressaille en entendant ce nom.

Le vicomte!
Ah! je vais lui jeter à la face mon...

*Il met la main dans sa poche, et y rencontre celle d'un tire-laine en train
de le dévaliser. Il se retourne.*

Hein?

---

1. Gascon : originaire de Gascogne, région du Sud-Ouest de la France.
2. Les Flandres : les Pays-Bas; au xviie siècle, le pays est sous le contrôle de l'Espagne
et en révolte contre celle-ci.

LE TIRE-LAINE

Ay!…

CHRISTIAN, *sans le lâcher.*

Je cherchais un gant!

LE TIRE-LAINE, *avec un sourire piteux.*
Vous trouvez une main.

Changeant de ton, bas et vite.

155   Lâchez-moi. Je vous livre un secret.

CHRISTIAN, *le tenant toujours.*
Quel?

LE TIRE-LAINE

Lignière…

Qui vous quitte…

CHRISTIAN, *de même.*
Eh! bien?

LE TIRE-LAINE

… touche à son heure dernière.
Une chanson qu'il fit blessa quelqu'un de grand,
Et cent hommes – j'en suis – ce soir sont postés!…

CHRISTIAN

Cent!

Par qui?

LE TIRE-LAINE

Discrétion…

CHRISTIAN, *haussant les épaules.*
Oh!

LE TIRE-LAINE, *avec beaucoup de dignité.*
Professionnelle!

CHRISTIAN

160   Où seront-ils postés?

LE TIRE-LAINE
À la porte de Nesle.
Sur son chemin. Prévenez-le !

CHRISTIAN, *qui lui lâche enfin le poignet.*
Mais où le voir !

LE TIRE-LAINE
Allez courir tous les cabarets : le *Pressoir
D'Or, la Pomme de Pin, la Ceinture qui craque,
Les Deux Torches, les Trois Entonnoirs,* – et dans chaque,
165 Laissez un petit mot d'écrit l'avertissant.

CHRISTIAN
Oui, je cours ! Ah ! les gueux[1] ! Contre un seul homme, cent !
Regardant Roxane avec amour.
La quitter… elle !
Regardant avec fureur Valvert.
Et lui !… – Mais il faut que je sauve
Lignière !…

Il sort en courant. – De Guiche, le vicomte, les marquis, tous les gentilshommes ont disparu derrière le rideau pour prendre place sur les banquettes de la scène. Le parterre est complètement rempli. Plus une place vide aux galeries et aux loges.

LA SALLE
Commencez.

UN BOURGEOIS, *dont la perruque s'envole au bout
d'une ficelle, pêchée par un page de la galerie supérieure.*
Ma perruque !

CRIS DE JOIE
Il est chauve !…
Bravo, les pages !… Ha ! ha ! ha !…

---

1. **Gueux** : miséreux et, par extension, hommes de peu de valeur.

LE BOURGEOIS, *furieux, montrant le poing.*
Petit gredin !

RIRES ET CRIS, *qui commencent très fort*
et vont décroissant.

170 HA! HA! ha! ha! ha! ha!

> *Silence complet.*

LE BRET, *étonné.*
Ce silence soudain ?...

> *Un spectateur lui parle bas.*

Ah ?...

LE SPECTATEUR
La chose me vient d'être certifiée.

MURMURES, *qui courent.*
Chut ! – Il paraît ?... – Non !... – Si ! – Dans la loge grillée[1].
– Le Cardinal[2] ! – Le Cardinal ? – Le Cardinal !

UN PAGE
Ah ! diable, on ne va pas pouvoir se tenir mal !...

> *On frappe sur la scène. Tout le monde s'immobilise. Attente.*

LA VOIX D'UN MARQUIS,
dans le silence, derrière le rideau.
175 Mouchez[3] cette chandelle !

UN AUTRE MARQUIS, *passant la tête par la fente du rideau.*
Une chaise !

Une chaise est passée, de main en main, au-dessus des têtes. Le marquis la prend et disparaît, non sans avoir envoyé quelques baisers aux loges.

UN SPECTATEUR
Silence !

---

1. Grillée : munie d'une grille.
2. Le Cardinal : Richelieu (1585-1642), principal ministre de Louis XIII.
3. Mouchez : éteignez.

On refrappe les trois coups. Le rideau s'ouvre. Tableau. Les marquis
assis sur les côtés, dans des poses insolentes. Toile de fond représentant
un décor bleuâtre de pastorale. Quatre petits lustres de cristal éclairent
la scène. Les violons jouent doucement.

LE BRET, *à Ragueneau, bas.*
Montfleury entre en scène ?

RAGUENEAU, *bas aussi.*
Oui, c'est lui qui commence.

LE BRET
Cyrano n'est pas là.

RAGUENEAU
J'ai perdu mon pari.

LE BRET
Tant mieux ! tant mieux !

On entend un air de musette, et Montfleury paraît en scène, énorme,
dans un costume de berger de pastorale[1], un chapeau garni de roses
penché sur l'oreille, et soufflant dans une cornemuse enrubannée.

LE PARTERRE, *applaudissant.*
Bravo, Montfleury ! Montfleury !

MONTFLEURY, *après avoir salué,*
jouant le rôle de Phédon.
« Heureux qui loin des cours, dans un lieu solitaire,
Se prescrit à soi-même un exil volontaire,
Et qui, lorsque Zéphire a soufflé sur les bois... »

180

UNE VOIX, *au milieu du parterre.*
Coquin[2], ne t'ai-je pas interdit pour un mois ?

Stupeur. Tout le monde se retourne. Murmures.

---

1. Pastorale : poème dramatique traitant d'un sujet champêtre.
2. Coquin : personne malhonnête, indigne de confiance.

Voix diverses

Hein ? – Quoi ? – Qu'est-ce ?...

On se lève dans les loges, pour voir.

Cuigy

C'est lui !

Le Bret, *terrifié.*

Cyrano !

La voix

Roi des pitres,

Hors de scène à l'instant !

Toute la salle, *indignée.*

Oh !

Montfleury

Mais...

La voix

Tu récalcitres[1] ?

Voix diverses, *du parterre, des loges.*

185 Chut ! – Assez ! – Montfleury jouez ! – Ne craignez rien !...

Montfleury, *d'une voix mal assurée.*

« *Heureux qui loin des cours dans un lieu sol...* »

La voix, *plus menaçante.*

Eh bien ?

Faudra-t-il que je fasse, ô Monarque des drôles,
Une plantation de bois sur vos épaules ?

Une canne au bout d'un bras jaillit au-dessus des têtes.

Montfleury, *d'une voix de plus en plus faible.*

« *Heureux qui...* »

La canne s'agite.

----

1. **Tu récalcitres** : tu refuses d'obéir.

LA VOIX

Sortez !

LE PARTERRE

Oh !

MONTFLEURY, *s'étranglant.*
« *Heureux qui loin des cours...* »

CYRANO, *surgissant du parterre,*
debout sur une chaise, les bras croisés,
le feutre en bataille, la moustache hérissée, le nez terrible.

190   Ah ! je vais me fâcher !...

Sensation à sa vue.

Scène 4

LES MÊMES, CYRANO,
puis **BELLEROSE, JODELET**

MONTFLEURY, *aux marquis.*
Venez à mon secours,

Messieurs !

UN MARQUIS, *nonchalamment.*
Mais jouez donc !

CYRANO
Gros homme, si tu joues
Je vais être obligé de te fesser les joues !

LE MARQUIS

Assez !

CYRANO

Que les marquis se taisent sur leurs bancs,
Ou bien je fais tâter ma canne à leurs rubans !

TOUS LES MARQUIS, *debout.*

195   C'en est trop !… Montfleury…

CYRANO

Que Montfleury s'en aille,
Ou bien je l'essorille[1] et le désentripaille !

UNE VOIX

Mais…

CYRANO

Qu'il sorte !

UNE AUTRE VOIX

Pourtant…

CYRANO

Ce n'est pas encor fait ?
Avec le geste de retrousser ses manches.

Bon ! je vais sur la scène en guise de buffet,
Découper cette mortadelle d'Italie !

MONTFLEURY, *rassemblant toute sa dignité.*

200   En m'insultant, Monsieur, vous insultez Thalie[2] !

CYRANO, *très poli.*

Si cette Muse, à qui, Monsieur, vous n'êtes rien,
Avait l'honneur de vous connaître, croyez bien
Qu'en vous voyant si gros et bête comme une urne,
Elle vous flanquerait quelque part son cothurne[3].

---

1. Essoriller : couper les oreilles.
2. Thalie : dans la mythologie grecque, Muse de la comédie (divinité inspirant les dra-
maturges et les comédiens).
3. Cothurne : chaussure à semelle épaisse que les acteurs portaient dans l'Antiquité.

LE PARTERRE

205 Montfleury! Montfleury! – La pièce de Baro! –

CYRANO, *à ceux qui crient autour de lui.*
Je vous en prie, ayez pitié de mon fourreau:
Si vous continuez, il va rendre sa lame!

Le cercle s'élargit.

LA FOULE, *reculant.*
Hé! là!

CYRANO, *à Montfleury.*
Sortez de scène!

LA FOULE, *se rapprochant et grondant.*
Oh! oh!

CYRANO, *se retournant vivement.*
Quelqu'un réclame?

Nouveau recul.

UNE VOIX, *chantant au fond.*
Monsieur de Cyrano
210 Vraiment nous tyrannise,
Malgré ce tyranneau
On jouera la *Clorise.*

TOUTE LA SALLE, *chantant.*
La Clorise, la Clorise!...

CYRANO
Si j'entends une fois encor cette chanson,
215 Je vous assomme tous.

UN BOURGEOIS
Vous n'êtes pas Samson[1]!

_____

1. **Samson** : personnage de l'Ancien Testament dont la force était légendaire.

Cyrano

Voulez-vous me prêter, Monsieur, votre mâchoire ?

Une dame, *dans les loges.*

C'est inouï !

Un seigneur

C'est scandaleux !

Un bourgeois

C'est vexatoire[1] !

Un page

Ce qu'on s'amuse !

Le parterre

Kss ! – Montfleury ! Cyrano !

Cyrano

Silence !

Le parterre, *en délire.*

Hi han ! Bêê ! Ouah, ouah ! Cocorico !

Cyrano

220   Je vous…

Un page

Miâou !

Cyrano

Je vous ordonne de vous taire,
Et j'adresse un défi collectif au parterre !
J'inscris les noms ! – Approchez-vous, jeunes héros !
Chacun son tour ! Je vais donner des numéros ! –
Allons, quel est celui qui veut ouvrir la liste ?
225   Vous, Monsieur ? Non ! Vous ? Non ! Le premier duelliste,
Je l'expédie avec les honneurs qu'on lui doit !

---

1. Vexatoire : qui est fait pour humilier.

– Que tous ceux qui veulent mourir lèvent le doigt.

Silence.

La pudeur[1] vous défend de voir ma lame nue ?
Pas un nom ? – Pas un doigt ? – C'est bien. Je continue.

Se retournant vers la scène
où Montfleury attend avec angoisse.

230 Donc, je désire voir le théâtre guéri
De cette fluxion[2]. Sinon…

La main à son épée.

le bistouri !

MONTFLEURY

Je…

CYRANO, *descend de sa chaise,*
s'assied au milieu du rond qui
s'est formé, s'installe comme chez lui.

Mes mains vont frapper trois claques, pleine lune !
Vous vous éclipserez à la troisième.

LE PARTERRE, *amusé.*

Ah ?…

CYRANO, *frappant dans ses mains.*

Une !

MONTFLEURY

Je…

UNE VOIX, *des loges.*

Restez !

LE PARTERRE

Restera… restera pas…

---

1. Pudeur : sentiment de gêne devant quelque chose qui peut choquer.
2. Fluxion : afflux excessif de sang dans un organe.

MONTFLEURY
Je crois,

235 Messieurs…

CYRANO
Deux!

MONTFLEURY
Je suis sûr qu'il vaudrait mieux que…

CYRANO
Trois!

Montfleury disparaît comme dans une trappe.
Tempête de rires, et sifflets de huées.

LA SALLE
Hu!… hu!… Lâche!… Reviens!…

CYRANO, *épanoui, se renverse*
sur sa chaise et croise ses jambes.
Qu'il revienne, s'il l'ose!

UN BOURGEOIS
L'orateur de la troupe[1]!

Bellerose s'avance et salue.

LES LOGES
Ah!… Voilà Bellerose!

BELLEROSE, *avec élégance.*
Nobles seigneurs…

LE PARTERRE
Non! Non! Jodelet!

JODELET, *s'avance, et, nasillard.*
Tas de veaux!

---

1. Orateur de la troupe : celui qui parle au nom des acteurs d'une compagnie.

LE PARTERRE

Ah ! Ah ! Bravo ! très bien ! bravo !

JODELET

Pas de bravos !

240   Le gros tragédien dont vous aimez le ventre
S'est senti…

LE PARTERRE

C'est un lâche !

JODELET
Il dut sortir !

LE PARTERRE

Qu'il rentre !

LES UNS

Non !

LES AUTRES

Si !

UN JEUNE HOMME, *à Cyrano.*
Mais à la fin, monsieur, quelle raison
Avez-vous de haïr Montfleury ?

CYRANO, *gracieux, toujours assis.*
Jeune oison[1],
J'ai deux raisons, dont chaque est suffisante seule.

245   *Primo*: c'est un acteur déplorable, qui gueule,
Et qui soulève avec des han ! de porteur d'eau,
Le vers qu'il faut laisser s'envoler ! – *Secundo*:
Est mon secret…

LE VIEUX BOURGEOIS, *derrière lui.*
Mais vous nous privez sans scrupule
De la *Clorise*! Je m'entête…

---

1. Oison : petit de l'oie ; au sens figuré, imbécile.

CYRANO, *tournant sa chaise*
vers le bourgeois, respectueusement.

Vieille mule,

250 Les vers du vieux Baro valant moins que zéro,
J'interromps sans remords!

LES PRÉCIEUSES, *dans les loges.*

Ha! – Ho! – Notre Baro!
Ma chère! – Peut-on dire?... Ah! Dieu!...

CYRANO, *tournant*
sa chaise vers les loges, galant.

Belles personnes,
Rayonnez, fleurissez, soyez des échansonnes[1]
De rêve, d'un sourire enchantez un trépas,

255 Inspirez-nous des vers... mais ne les jugez pas!

BELLEROSE

Et l'argent qu'il va falloir rendre!

CYRANO,
tournant sa chaise vers la scène.

Bellerose,
Vous avez dit la seule intelligente chose!
Au manteau de Thespis[2] je ne fais pas de trous:

Il se lève, et lançant un sac sur la scène.

Attrapez cette bourse au vol, et taisez-vous!

LA SALLE, *éblouie.*

260 Ah!... Oh!...

JODELET, *ramassant*
prestement la bourse et la soupesant.

À ce prix-là, monsieur, je t'autorise
À venir chaque jour empêcher la *Clorise*!...

---

1. Échansonnes : personnes qui servent à boire.
2. Thespis (ve siècle av. J.-C.) : auteur grec de tragédies.

LA SALLE

Hu!... Hu!...

JODELET

Dussions-nous même ensemble être hués!

BELLEROSE

Il faut évacuer la salle!...

JODELET

Évacuez!...

On commence à sortir, pendant que Cyrano regarde d'un air satisfait. Mais la foule s'arrête bientôt en entendant la scène suivante, et la sortie cesse. Les femmes qui, dans les loges, étaient déjà debout, leur manteau remis, s'arrêtent pour écouter, et finissent par se rasseoir.

LE BRET, *à Cyrano.*

C'est fou!...

UN FÂCHEUX[1], *qui s'est approché de Cyrano.*

Le comédien Montfleury! quel scandale!
265 Mais il est protégé par le duc de Candale!
Avez-vous un patron[2]?

CYRANO

Non!

LE FÂCHEUX

Vous n'avez pas?...

CYRANO

Non!

LE FÂCHEUX

Quoi, pas un grand seigneur pour couvrir de son nom?...

CYRANO, *agacé.*

Non, ai-je dit deux fois. Faut-il donc que je trisse?

---

1. Un fâcheux : un individu déplaisant.
2. Patron : protecteur, en général puissant et riche.

Non, pas de protecteur…

La main à son épée.

mais une protectrice !

LE FÂCHEUX

270 Mais vous allez quitter la ville ?

CYRANO

C'est selon.

LE FÂCHEUX

Mais le duc de Candale[1] a le bras long !

CYRANO

Moins long

Que n'est le mien…

Montrant son épée.

quand je lui mets cette rallonge !

LE FÂCHEUX

Mais vous ne songez pas à prétendre…

CYRANO

J'y songe.

LE FÂCHEUX

Mais…

CYRANO

Tournez les talons, maintenant.

LE FÂCHEUX

Mais…

CYRANO

Tournez !

275 — Ou dites-moi pourquoi vous regardez mon nez.

---

1. Duc de Cancale : protecteur d'artistes du XVIIᵉ siècle.

Le fâcheux, *ahuri.*

Je...

Cyrano, *marchant sur lui.*

Qu'a-t-il d'étonnant?

Le fâcheux, *reculant.*

Votre Grâce se trompe...

Cyrano

Est-il mol et ballant, monsieur, comme une trompe?...

Le fâcheux, *même jeu.*

Je n'ai pas...

Cyrano

Ou crochu comme un bec de hibou?

Le fâcheux

Je...

Cyrano

Y distingue-t-on une verrue au bout?

Le fâcheux

280   Mais...

Cyrano

Ou si quelque mouche, à pas lents, s'y promène?
Qu'a-t-il d'hétéroclite?

Le fâcheux

Oh!...

Cyrano

Est-ce un phénomène?

Le fâcheux

Mais d'y porter les yeux, j'avais su me garder!

47

CYRANO

Et pourquoi, s'il vous plaît, ne pas le regarder ?

LE FÂCHEUX

J'avais…

CYRANO

Il vous dégoûte alors ?

LE FÂCHEUX

Monsieur…

CYRANO

Malsaine

285 Vous semble sa couleur ?

LE FÂCHEUX

Monsieur !

CYRANO

Sa forme, obscène[1] ?

LE FÂCHEUX

Mais du tout !…

CYRANO

Pourquoi donc prendre un air dénigrant[2] ?

– Peut-être que monsieur le trouve un peu trop grand ?

LE FÂCHEUX, *balbutiant.*

Je le trouve petit, tout petit, minuscule !

CYRANO

Hein ? comment ? m'accuser d'un pareil ridicule ?
290 Petit, mon nez ? Holà !

LE FÂCHEUX

Ciel !

---

1. **Obscène** : qui choque gravement la pudeur.
2. **Dénigrant** : qui laisse penser du mal de quelque chose.

CYRANO

Énorme, mon nez !

— Vil camus, sot camard[1], tête plate, apprenez
Que je m'enorgueillis d'un pareil appendice,
Attendu qu'un[2] grand nez est proprement l'indice
D'un homme affable, bon, courtois, spirituel,
295 Libéral, courageux, tel que je suis, et tel
Qu'il vous est interdit à jamais de vous croire,
Déplorable maraud ! car la face sans gloire
Que va chercher ma main en haut de votre col.
Est aussi dénuée…

Il le soufflette.

LE FÂCHEUX

Ay !

CYRANO

De fierté, d'envol,
300 De lyrisme, de pittoresque, d'étincelle,
De somptuosité, de Nez enfin, que celle…

Il le retourne par les épaules, joignant le geste à la parole.

Que va chercher ma botte au bas de votre dos !

LE FÂCHEUX, *se sauvant.*

Au secours ! À la garde !

CYRANO

Avis donc aux badauds
Qui trouveraient plaisant mon milieu de visage,
305 Et si le plaisantin est noble, mon usage
Est de lui mettre, avant de le laisser s'enfuir,
Par-devant, et plus haut, du fer[3], et non du cuir !

---

1. **Camus, camard** : qui a le nez court ou aplati.
2. **Attendu qu'un** : puisqu'un.
3. **Du fer** : un coup d'épée.

DE GUICHE,
qui est descendu de la scène, avec les marquis.
Mais à la fin il nous ennuie !

LE VICOMTE DE VALVERT, *haussant les épaules.*
Il fanfaronne !

DE GUICHE
Personne ne va donc lui répondre ?…

LE VICOMTE
Personne ?
310   Attendez ! Je vais lui lancer un de ces traits[1] !…
Il s'avance vers Cyrano qui l'observe,
et se campant devant lui d'un air fat[2].
Vous… vous avez un nez… heu… un nez… très grand.

CYRANO, *gravement.*
Très.

LE VICOMTE, *riant.*
Ha !

CYRANO, *imperturbable.*
C'est tout ?…

LE VICOMTE
Mais…

CYRANO
Ah ! non ! c'est un peu court, jeune homme !
On pouvait dire… Oh ! Dieu !… bien des choses en somme…
En variant le ton, – par exemple, tenez :
315   Agressif : « Moi, monsieur, si j'avais un tel nez,
Il faudrait sur-le-champ que je me l'amputasse ! »
Amical : « Mais il doit tremper dans votre tasse :

---

1. Traits : paroles faites pour blesser.
2. Fat : sot et prétentieux.

Pour boire, faites-vous fabriquer un hanap[1] ! »
Descriptif : « C'est un roc !... c'est un pic !... c'est un cap !
320 Que dis-je, c'est un cap ?... C'est une péninsule ! »
Curieux : « De quoi sert cette oblongue capsule ?
D'écritoire, monsieur, ou de boîte à ciseaux ? »
Gracieux : « Aimez-vous à ce point les oiseaux
Que paternellement vous vous préoccupâtes
325 De tendre ce perchoir à leurs petites pattes ? »
Truculent[2] : « Ça, monsieur, lorsque vous pétunez[3],
La vapeur du tabac vous sort-elle du nez
Sans qu'un voisin ne crie au feu de cheminée ? »
Prévenant : « Gardez-vous, votre tête entraînée
330 Par ce poids, de tomber en avant sur le sol ! »
Tendre : « Faites-lui faire un petit parasol
De peur que sa couleur au soleil ne se fane ! »
Pédant : « L'animal seul, monsieur, qu'Aristophane[4]
Appelle Hippocampelephantocamélos
335 Dut avoir sous le front tant de chair sur tant d'os ! »
Cavalier : « Quoi, l'ami, ce croc est à la mode ?
Pour pendre son chapeau, c'est vraiment très commode ! »
Emphatique : « Aucun vent ne peut, nez magistral,
T'enrhumer tout entier, excepté le mistral ! »
340 Dramatique : « C'est la Mer Rouge quand il saigne ! »
Admiratif : « Pour un parfumeur, quelle enseigne ! »
Lyrique : « Est-ce une conque, êtes-vous un triton ? »
Naïf : « Ce monument, quand le visite-t-on ? »
Respectueux : « Souffrez, monsieur, qu'on vous salue,
345 C'est là ce qui s'appelle avoir pignon sur rue ! »
Campagnard : « Hé, ardé ! C'est-y un nez ? Nanain !
C'est queuqu'navet géant ou ben queuqu'melon nain ! »
Militaire : « Pointez contre cavalerie ! »

---

1. Hanap : grand vase servant à boire.
2. Truculent : qui s'exprime avec spontanéité.
3. Pétuner : prendre du pétun, c'est-à-dire du tabac.
4. Aristophane (v^e-ive siècle av. J.-C.) : auteur grec de comédies.

Pratique : « Voulez-vous le mettre en loterie ?
350 Assurément, monsieur, ce sera le gros lot ! »
Enfin parodiant Pyrame en un sanglot :
« Le voilà donc ce nez qui des traits de son maître
A détruit l'harmonie ! Il en rougit, le traître ! »
– Voilà ce qu'à peu près, mon cher, vous m'auriez dit
355 Si vous aviez un peu de lettres[1] et d'esprit :
Mais d'esprit, ô le plus lamentable des êtres,
Vous n'en eûtes jamais un atome, et de lettres
Vous n'avez que les trois qui forment le mot : sot !
Eussiez-vous eu, d'ailleurs, l'invention qu'il faut
360 Pour pouvoir là, devant ces nobles galeries,
Me servir toutes ces folles plaisanteries,
Que vous n'en eussiez pas articulé le quart
De la moitié du commencement d'une, car
Je me les sers moi-même, avec assez de verve[2],
365 Mais je ne permets pas qu'un autre me les serve.

DE GUICHE, *voulant emmener le vicomte pétrifié.*
Vicomte, laissez donc !

LE VICOMTE, *suffoqué.*
Ces grands airs arrogants !
Un hobereau[3] qui… qui… n'a même pas de gants !
Et qui sort sans rubans, sans bouffettes, sans ganses[4] !

CYRANO
Moi, c'est moralement que j'ai mes élégances.
370 Je ne m'attife pas ainsi qu'un freluquet,
Mais je suis plus soigné si je suis moins coquet ;
Je ne sortirais pas avec, par négligence,
Un affront pas très bien lavé, la conscience

---

1. Lettres : culture.
2. Verve : art de s'exprimer de manière spirituelle.
3. Hobereau : gentilhomme de petite noblesse.
4. Bouffettes, ganses : ornements sur les vêtements.

Jaune encore de sommeil dans le coin de son œil,
375 Un honneur chiffonné, des scrupules en deuil.
Mais je marche sans rien sur moi qui ne reluise,
Empanaché d'indépendance et de franchise ;
Ce n'est pas une taille avantageuse, c'est
Mon âme que je cambre ainsi qu'en un corset,
380 Et tout couvert d'exploits qu'en rubans je m'attache,
Retroussant mon esprit ainsi qu'une moustache,
Je fais, en traversant les groupes et les ronds,
Sonner les vérités comme des éperons.

LE VICOMTE

Mais, monsieur…

CYRANO

Je n'ai pas de gants ?… la belle affaire !
385 Il m'en restait un seul… d'une très vieille paire !
– Lequel m'était d'ailleurs encor fort importun :
Je l'ai laissé dans la figure de quelqu'un.

LE VICOMTE

Maraud, faquin, butor de pied plat ridicule !

CYRANO, ôtant son chapeau et saluant
comme si le vicomte venait de se présenter.

Ah ?… Et moi, Cyrano-Savinien-Hercule[1]
390 De Bergerac.

Rires.

LE VICOMTE, exaspéré.

Bouffon !

CYRANO, poussant un cri
comme lorsqu'on est saisi d'une crampe.
Ay !…

---

1. Nom complet du vrai Cyrano de Bergerac.

Le vicomte, *qui remontait, se retournant.*
Qu'est-ce encor qu'il dit?

Cyrano, *avec des grimaces de douleur.*
Il faut la remuer car elle s'engourdit…
– Ce que c'est que de la laisser inoccupée! –
Ay!…

Le vicomte
Qu'avez-vous?

Cyrano
J'ai des fourmis dans mon épée!

Le vicomte, *tirant la sienne.*
Soit!

Cyrano
Je vais vous donner un petit coup charmant.

Le vicomte, *méprisant.*
395 Poète!

Cyrano
Oui, monsieur, poète et tellement,
Qu'en ferraillant je vais – hop – à l'improvisade,
Vous composer une ballade[1].

Le vicomte
Une ballade?

Cyrano
Vous ne vous doutez pas de ce que c'est, je crois?

Le vicomte
Mais…

Cyrano, *récitant comme une leçon.*
La ballade, donc, se compose de trois

---

1. Ballade : poème composé de trois strophes égales et d'un envoi.

400 Couplets de huit vers…

> LE VICOMTE, *piétinant.*
>> Oh !

> CYRANO, *continuant.*
>> Et d'un envoi de quatre…

> LE VICOMTE

Vous…

> CYRANO

Je vais tout ensemble en faire une et me battre.
Et vous toucher, monsieur, au dernier vers.

> LE VICOMTE
>> Non !

> CYRANO
>> Non ?
>>> *Déclamant.*

« *Ballade du duel qu'en l'hôtel bourguignon
Monsieur de Bergerac eut avec un bélître[1] !* »

> LE VICOMTE

405 Qu'est-ce que c'est que ça, s'il vous plaît ?

> CYRANO
>> C'est le titre.

> LA SALLE, *surexcitée au plus haut point.*

Place ! – Très amusant ! – Rangez-vous ! – Pas de bruits !

Tableau. Cercle de curieux au parterre, les marquis et les officiers mêlés aux bourgeois et aux gens du peuple ; les pages grimpés sur des épaules pour mieux voir. Toutes les femmes debout dans les loges. À droite, De Guiche et ses gentilshommes. À gauche, Le Bret, Ragueneau, Cuigy, etc.

---

1. Bélître : homme sans valeur.

CYRANO, *fermant une seconde les yeux.*
Attendez !… je choisis mes rimes… Là, j'y suis.

Il fait ce qu'il dit, à mesure.

Je jette avec grâce mon feutre,
Je fais lentement l'abandon
410 *Du grand manteau qui me calfeutre,*
Et je tire mon espadon[1] ;
Élégant comme Céladon[2],
Agile comme Scaramouche[3],
Je vous préviens, cher Mirmydon[4],
415 *Qu'à la fin de l'envoi je touche !*

Premiers engagements de fer.

Vous auriez bien dû rester neutre ;
Où vais-je vous larder, dindon ?
Dans le flanc, sous votre maheutre[5] ?
Au cœur, sous votre bleu cordon ?
420 *– Les coquilles tintent, ding-don !*
Ma pointe voltige : une mouche !
Décidément… c'est au bedon,
Qu'à la fin de l'envoi, je touche.

Il me manque une rime en eutre…
425 *Vous rompez, plus blanc qu'amidon ?*
C'est pour me fournir le mot pleutre[6] !
– Tac ! je pare la pointe dont
Vous espériez me faire don : –
J'ouvre la ligne, – je la bouche…

---

1. **Espadon** : épée.
2. **Céladon** : berger amoureux dans le roman *L'Astrée* d'Honoré d'Urfé.
3. **Scaramouche** : personnage de la *commedia dell'arte*.
4. **Mirmydon** : ici, homme de petite taille.
5. **Maheutre** : manche rembourrée qui couvre le bras de l'épaule au coude.
6. **Pleutre** : lâche.

430 *Tiens bien ta broche, Laridon*[1] *!*
À la fin de l'envoi, je touche.

                                        Il annonce solennellement :

ENVOI

Prince, demande à Dieu pardon !
Je quarte du pied, j'escarmouche,
Je coupe, je feinte[2]…

                                        Se fendant.

            Hé ! là donc,

                        Le vicomte chancelle ; Cyrano salue.
435 *À la fin de l'envoi, je touche.*

Acclamations. Applaudissements dans les loges. Des fleurs et des mouchoirs tombent. Les officiers entourent et félicitent Cyrano. Ragueneau danse d'enthousiasme. Le Bret est heureux et navré. Les amis du vicomte le soutiennent et l'emmènent.

                    LA FOULE, *en un long cri.*

Ah !…

                        UN CHEVAU-LÉGER

        Superbe !

                        UNE FEMME

        Joli !

                        RAGUENEAU
            Pharamineux !

                        UN MARQUIS
                        Nouveau !…

                        LE BRET

Insensé !

---

1. Laridon : dans « L'éducation », fable de La Fontaine, nom d'un chien dont les petits sont surnommés « Tournebroches ».
2. Je coupe, je feinte : termes d'escrime.

Bousculade autour de Cyrano. On entend.
… Compliments… félicite… bravo.

VOIX DE FEMME

C'est un héros !…

UN MOUSQUETAIRE, *s'avançant*
vivement vers Cyrano, la main tendue.

Monsieur, voulez-vous me permettre ?…
C'est tout à fait très bien, et je crois m'y connaître ;
440 J'ai du reste exprimé ma joie en trépignant !…

Il s'éloigne.

CYRANO, *à Cuigy.*

Comment s'appelle donc ce monsieur ?

CUIGY

D'Artagnan.

LE BRET, *à Cyrano, lui prenant le bras.*

Çà, causons !…

CYRANO

Laisse un peu sortir cette cohue…

À Bellerose.

Je peux rester ?

BELLEROSE, *respectueusement.*

Mais oui !…

On entend des cris au-dehors.

JODELET, *qui a regardé.*

C'est Montfleury qu'on hue !

BELLEROSE, *solennellement.*

Sic transit[1] *!…*

Changeant de ton, au portier et au moucheur de chandelles.

---

1. **Sic transit gloria mundi** : ainsi passe la gloire de ce monde (proverbe latin).

Balayez. Fermez. N'éteignez pas.
445 Nous allons revenir après notre repas,
Répéter pour demain une nouvelle farce.

Jodelet et Bellerose sortent, après de grands saluts à Cyrano.

LE PORTIER, *à Cyrano.*
Vous ne dînez donc pas ?

CYRANO
Moi ?… Non.

Le portier se retire.

LE BRET, *à Cyrano.*
Parce que ?

CYRANO, *fièrement.*
Parce…
Changeant de ton, en voyant que le portier est loin.
Que je n'ai pas d'argent !…

LE BRET, *faisant le geste de lancer un sac.*
Comment ! le sac d'écus ?…

CYRANO
Pension paternelle, en un jour, tu vécus !

LE BRET
450 Pour vivre tout un mois, alors ?…

CYRANO
Rien ne me reste.

LE BRET
Jeter ce sac, quelle sottise !

CYRANO
Mais quel geste !…

LA DISTRIBUTRICE,
toussant derrière son petit comptoir.

Hum!…

Cyrano et Le Bret se retournent. Elle s'avance intimidée.

Monsieur… Vous savoir jeûner… le cœur me fend…

Montrant le buffet.

J'ai là tout ce qu'il faut…

Avec élan.

Prenez!

CYRANO, *se découvrant.*
Ma chère enfant,
Encor que mon orgueil de Gascon m'interdise
455 D'accepter de vos doigts la moindre friandise,
J'ai trop peur qu'un refus ne vous soit un chagrin,
Et j'accepterai donc…

Il va au buffet et choisit.

Oh! peu de chose! – un grain
De ce raisin…

Elle veut lui donner la grappe, il cueille un grain.

Un seul!… ce verre d'eau…

Elle veut y verser du vin, il l'arrête.

limpide!

– Et la moitié d'un macaron!

Il rend l'autre moitié.

LE BRET
Mais c'est stupide!

LA DISTRIBUTRICE
460 Oh! quelque chose encor!

CYRANO
Oui. La main à baiser.

Il baise, comme la main d'une princesse, la main qu'elle lui tend.

LA DISTRIBUTRICE

Merci, monsieur.

Révérence.

Bonsoir.

Elle sort.

Scène 5

CYRANO, LE BRET, *puis* LE PORTIER

CYRANO, *à Le Bret.*
Je t'écoute causer.

*Il s'installe devant le buffet
et rangeant devant lui le macaron.*

Dîner !...

... le verre d'eau.

Boisson !...

... le grain de raisin.

Dessert !...

Il s'assied.

Là, je me mets à table !
– Ah !... j'avais une faim, mon cher, épouvantable !

Mangeant.

– Tu disais ?

LE BRET
Que ces fats aux grands airs belliqueux[1]
465 Te fausseront l'esprit si tu n'écoutes qu'eux !...
Va consulter des gens de bon sens, et t'informe
De l'effet qu'a produit ton algarade[2].

---

1. Belliqueux : qui aiment la guerre ou les disputes.
2. Algarade : combat militaire.

CYRANO, *achevant son macaron.*

Énorme.

LE BRET

Le Cardinal…

CYRANO, *s'épanouissant.*

Il était là, le Cardinal ?

LE BRET

A dû trouver cela…

CYRANO

Mais très original.

LE BRET

470   Pourtant…

CYRANO

C'est un auteur. Il ne peut lui déplaire
Que l'on vienne troubler la pièce d'un confrère[1].

LE BRET

Tu te mets sur les bras, vraiment, trop d'ennemis !

CYRANO, *attaquant son grain de raisin.*

Combien puis-je, à peu près, ce soir, m'en être mis ?

LE BRET

Quarante-huit. Sans compter les femmes.

CYRANO

Voyons, compte !

LE BRET

475   Montfleury, le bourgeois, de Guiche, le vicomte,
Baro, l'Académie…

---

1. **Confrère** : personne de même profession.

CYRANO
Assez! tu me ravis!

LE BRET
Mais où te mènera la façon dont tu vis?
Quel système est le tien?

CYRANO
J'errais dans un méandre;
J'avais trop de partis, trop compliqués, à prendre[1];
480 J'ai pris...

LE BRET
Lequel?

CYRANO
Mais le plus simple, de beaucoup.
J'ai décidé d'être admirable, en tout, pour tout!

LE BRET, *haussant les épaules.*
Soit! – Mais enfin, à moi, le motif de ta haine
Pour Montfleury, le vrai, dis-le-moi!

CYRANO, *se levant.*
Ce Silène[2],
Si ventru que son doigt n'atteint pas son nombril.
485 Pour les femmes encor se croit un doux péril,
Et leur fait, cependant qu'en jouant il bredouille.
Des yeux de carpe avec ses gros yeux de grenouille!...
Et je le hais depuis qu'il se permit, un soir,
De poser son regard, sur celle... Oh! j'ai cru voir
490 Glisser sur une fleur une longue limace!

LE BRET, *stupéfait.*
Hein? Comment? Serait-il possible?...

---

1. Trop de partis, trop compliqués, à prendre : trop de choix difficiles à faire.
2. Silène : dans la mythologie grecque, divinité représentée sous les traits d'un vieillard ivre.

CYRANO, *avec un rire amer.*

Que j'aimasse?…

Changeant de ton et gravement.

J'aime.

LE BRET

Et peut-on savoir? tu ne m'as jamais dit?…

CYRANO

Qui j'aime?… Réfléchis, voyons. Il m'interdit
Le rêve d'être aimé même par une laide,
495 Ce nez qui d'un quart d'heure en tous lieux me précède;
Alors moi, j'aime qui?… Mais cela va de soi!
J'aime – mais c'est forcé! – la plus belle qui soit!

LE BRET

La plus belle?…

CYRANO

Tout simplement, qui soit au monde!
La plus brillante, la plus fine,

Avec accablement.

la plus blonde!

LE BRET

500 Eh! mon Dieu, quelle est donc cette femme?…

CYRANO

Un danger

Mortel sans le vouloir, exquis sans y songer,
Un piège de nature, une rose muscade
Dans laquelle l'amour se tient en embuscade!
Qui connaît son sourire a connu le parfait.
505 Elle fait de la grâce avec rien, elle fait
Tenir tout le divin dans un geste quelconque,
Et tu ne saurais pas, Vénus, monter en conque,

Ni toi, Diane, marcher dans les grands bois fleuris[1].
Comme elle monte en chaise et marche dans Paris!...

LE BRET

510 Sapristi! je comprends. C'est clair!

CYRANO

C'est diaphane[2].

LE BRET

Magdeleine Robin, ta cousine?

CYRANO

Oui, – Roxane.

LE BRET

Eh bien! mais c'est au mieux! Tu l'aimes? Dis-le-lui!
Tu t'es couvert de gloire à ses yeux aujourd'hui!

CYRANO

Regarde-moi, mon cher, et dis quelle espérance
515 Pourrait bien me laisser cette protubérance!
Oh! je ne me fais pas d'illusion! – Parbleu,
Oui, quelquefois, je m'attendris, dans le soir bleu;
J'entre en quelque jardin où l'heure se parfume;
Avec mon pauvre grand diable de nez je hume
520 L'avril, – je suis des yeux, sous un rayon d'argent,
Au bras d'un cavalier, quelque femme, en songeant
Que pour marcher, à petits pas, dans de la lune,
Aussi moi j'aimerais au bras en avoir une,
Je m'exalte, j'oublie... et j'aperçois soudain
525 L'ombre de mon profil sur le mur du jardin!

LE BRET, *ému.*

Mon ami!...

---

1. Vénus, déesse de la beauté, est née dans un coquillage (une «conque»); Diane, déesse de la chasse, vit dans les bois.
2. Diaphane : d'une transparence pure et absolue.

CYRANO

Mon ami, j'ai de mauvaises heures !
De me sentir si laid, parfois, tout seul…

LE BRET, *vivement, lui prenant la main.*

Tu pleures ?

CYRANO

Ah ! non, cela, jamais ! Non, ce serait trop laid,
Si le long de ce nez une larme coulait !
530 Je ne laisserai pas, tant que j'en serai maître,
La divine beauté des larmes se commettre[1]
Avec tant de laideur grossière !… Vois-tu bien,
Les larmes, il n'est rien de plus sublime, rien,
Et je ne voudrais pas qu'excitant la risée,
535 Une seule, par moi, fût ridiculisée !…

LE BRET

Va, ne t'attriste pas ! L'amour n'est que hasard !

CYRANO, *secouant la tête.*

Non ! J'aime Cléopâtre : ai-je l'air d'un César ?
J'adore Bérénice : ai-je l'aspect d'un Tite[2] ?

LE BRET

Mais ton courage ! ton esprit ! – Cette petite
540 Qui t'offrait là, tantôt, ce modeste repas,
Ses yeux, tu l'as bien vu, ne te détestaient pas !

CYRANO, *saisi.*

C'est vrai !

LE BRET

Hé ! bien ! alors ?… Mais, Roxane, elle-même,
Toute blême a suivi ton duel !…

---

1. **Se commettre** : se compromettre.
2. **Tite** : Titus (1er siècle apr. J.-C.), empereur romain amoureux de Bérénice.

CYRANO
Toute blême ?

LE BRET
Son cœur et son esprit déjà sont étonnés !
545   Ose, et lui parle, afin…

CYRANO
Qu'elle me rie au nez ?
Non ! – C'est la seule chose au monde que je craigne !

LE PORTIER, *introduisant quelqu'un à Cyrano.*
Monsieur, on vous demande…

CYRANO, *voyant la duègne.*
Ah ! mon Dieu ! Sa duègne !

Scène 6

CYRANO, LE BRET, LA DUÈGNE

LA DUÈGNE, *avec un grand salut.*
De son vaillant cousin on désire savoir
Où l'on peut, en secret, le voir.

CYRANO, *bouleversé.*
Me voir ?

LA DUÈGNE, *avec une révérence.*
Vous voir.
550   – On a des choses à vous dire.

CYRANO
Des ?…

LA DUÈGNE, *nouvelle révérence.*
Des choses !

CYRANO, *chancelant.*

Ah ! mon Dieu !

LA DUÈGNE

L'on ira, demain, aux primes roses
D'aurore, – ouïr la messe à Saint-Roch.

CYRANO, *se soutenant sur Le Bret.*

Ah ! mon Dieu !

LA DUÈGNE

En sortant, – où peut-on entrer, causer un peu ?

CYRANO, *affolé.*

Où ?... Je... mais... Ah ! mon Dieu !...

LA DUÈGNE

Dites vite.

CYRANO

Je cherche !...

LA DUÈGNE

555   Où ?...

CYRANO

Chez... chez... Ragueneau... le pâtissier...

LA DUÈGNE

Il perche[1] ?

CYRANO

Dans la rue – Ah ! mon Dieu, mon Dieu ! – Saint-Honoré !...

LA DUÈGNE, *remontant.*

On ira. Soyez-y. Sept heures.

CYRANO

J'y serai.

La duègne sort.

---

1. **Il perche** : il habite.

Scène 7

CYRANO, LE BRET, *puis* LES COMÉDIENS, LES COMÉDIENNES,
CUIGY, BRISSAILLE, LIGNIÈRE, LE PORTIER, LES VIOLONS

CYRANO, *tombant dans les bras de Le Bret.*
Moi!... D'elle!... Un rendez-vous!...

LE BRET
Eh bien! tu n'es plus triste?

CYRANO
Ah! pour quoi que ce soit, elle sait que j'existe!

LE BRET
560 Maintenant, tu vas être calme?

CYRANO, *hors de lui.*
Maintenant...
Mais je vais être frénétique et fulminant!
Il me faut une armée entière à déconfire[1]!
J'ai dix cœurs; j'ai vingt bras; il ne peut me suffire
De pourfendre des nains...

Il crie à tue-tête.
Il me faut des géants!

*Depuis un moment, sur la scène, au fond, des ombres de comédiens
et de comédiennes s'agitent, chuchotent: on commence à répéter. Les
violons ont repris leur place.*

UNE VOIX, *de la scène.*
565 Hé! pst! là-bas! Silence! on répète céans[2]!

CYRANO, *riant.*
Nous partons!

---
1. Déconfire : mettre en échec.
2. Céans : ici.

*Il remonte ; par la grande porte du fond, entrent Cuigy, Brissaille,
plusieurs officiers, qui soutiennent Lignière complètement ivre.*

CUIGY

Cyrano !

CYRANO

Qu'est-ce ?

CUIGY

Une énorme grive

Qu'on t'apporte !

CYRANO, *le reconnaissant.*

Lignière !... Hé, qu'est-ce qui t'arrive ?

CUIGY

Il te cherche !

BRISSAILLE

Il ne peut rentrer chez lui !

CYRANO

Pourquoi ?

LIGNIÈRE, *d'une voix pâteuse,
lui montrant un billet tout chiffonné.*

Ce billet m'avertit... cent hommes contre moi...
570 À cause de... chanson... grand danger me menace...
Porte de Nesle... Il faut, pour rentrer, que j'y passe...
Permets-moi donc d'aller coucher sous... sous ton toit !

CYRANO

Cent hommes, m'as-tu dit ? Tu coucheras chez toi !

LIGNIÈRE, *épouvanté.*

Mais...

CYRANO, *d'une voix terrible,*
lui montrant la lanterne allumée que le portier
balance en écoutant curieusement cette scène.

Prends cette lanterne !...

Lignière saisit précipitamment la lanterne.

Et marche ! – Je te jure

575 Que c'est moi qui ferai ce soir ta couverture[1] !...

Aux officiers.

Vous, suivez à distance, et vous serez témoins !

CUIGY

Mais cent hommes !...

CYRANO

Ce soir, il ne m'en faut pas moins !

Les comédiens et les comédiennes, descendus de scène, se sont rapprochés
dans leurs divers costumes.

LE BRET

Mais pourquoi protéger...

CYRANO

Voilà Le Bret qui grogne !

LE BRET

Cet ivrogne banal ?

CYRANO, *frappant sur l'épaule de Lignière.*

Parce que cet ivrogne,

580 Ce tonneau de muscat, ce fût de rossoli[2],
Fit quelque chose un jour de tout à fait joli :
Au sortir d'une messe ayant, selon le rite,
Vu celle qu'il aimait prendre de l'eau bénite,
Lui que l'eau fait sauver, courut au bénitier,
585 Se pencha sur sa conque et le but tout entier !...

---

1. Couverture : protection.
2. Muscat, rossoli : alcools sucrés.

Une comédienne, *en costume de soubrette.*

Tiens, c'est gentil, cela !

Cyrano

N'est-ce pas, la soubrette ?

La comédienne, *aux autres.*

Mais pourquoi sont-ils cent contre un pauvre poète ?

Cyrano

Marchons !

Aux officiers.

Et vous, messieurs, en me voyant charger,
Ne me secondez pas, quel que soit le danger !

Une autre comédienne,
sautant de la scène.

590 Oh ! mais moi je vais voir !

Cyrano

Venez !…

Une autre, *sautant aussi, à un vieux comédien.*

Viens-tu, Cassandre[1] ?…

Cyrano

Venez tous, le Docteur, Isabelle, Léandre[2],
Tous ! Car vous allez joindre, essaim charmant et fol,
La farce italienne à ce drame espagnol,
Et sur son ronflement tintant un bruit fantasque[3],
595 L'entourer de grelots comme un tambour de basque !…

---

1. Cassandre : dans la mythologie grecque, personnage capable de prédire l'avenir ;
dans la *commedia dell'arte*, personnage de vieillard.
2. Personnages de la *commedia dell'arte*.
3. Fantasque : capricieux et imprévisible.

TOUTES LES FEMMES, *sautant de joie.*
Bravo ! – Vite, une mante ! – Un capuchon !

JODELET
Allons !

CYRANO, *aux violons.*
Vous nous jouerez un air, messieurs les violons !

Les violons se joignent au cortège qui se forme. On s'empare des chan-
delles allumées de la rampe et on se les distribue. Cela devient une
retraite aux flambeaux.

Bravo ! des officiers, des femmes en costume,
Et vingt pas en avant…

Il se place comme il dit.

Moi, tout seul, sous la plume
600 Que la gloire elle-même à ce feutre piqua,
Fier comme un Scipion triplement Nasica[1] !
– C'est compris ? Défendu de me prêter main-forte ! –
On y est ?… Un, deux, trois ! Portier, ouvre la porte !

Le portier ouvre à deux battants.
Un coin du vieux Paris pittoresque lunaire paraît.

Ah !… Paris fuit, nocturne et quasi nébuleux ;
605 Le clair de lune coule aux pentes des toits bleus ;
Un cadre se prépare, exquis, pour cette scène ;
Là-bas, sous des vapeurs en écharpe, la Seine,
Comme un mystérieux et magique miroir,
Tremble… Et vous allez voir ce que vous allez voir !

TOUS
610 À la porte de Nesle !

CYRANO, *debout sur le seuil.*
À la porte de Nesle !
Se retournant avant de sortir, à la soubrette.

---

1. Scipion : nom d'une famille romaine, dont un membre était surnommé Nasica, c'est-
à-dire, en latin, personne qui a le nez mince et pointu.

Ne demandiez-vous pas pourquoi, mademoiselle,
Contre ce seul rimeur cent hommes furent mis ?

Il tire l'épée et, tranquillement.

C'est parce qu'on savait qu'il est de mes amis !

Il sort. Le cortège, – Ligníère zigzaguant en tête, – puis les comédiennes aux bras des officiers, – puis les comédiens gambadant, – se met en marche dans la nuit au son des violons, et à la lueur falote des chandelles.

RIDEAU

Un quiz pour commencer

Cochez les bonnes réponses.

❶ *Où l'action du premier acte se déroule-t-elle ?*
- ❏ Dans un hôtel.
- ❏ Dans le théâtre de l'Hôtel de Bourgogne.
- ❏ À la Comédie-Française.

❷ *Quel personnage sert de guide et d'informateur au jeune Christian ?*
- ❏ Rageneau.
- ❏ De Guiche.
- ❏ Lignière.

❸ *Pourquoi Christian craint-il de ne pas être aimé de Roxane ?*
- ❏ Il n'est pas assez beau.
- ❏ Il n'est pas assez beau parleur.
- ❏ Il n'est pas noble.

❹ *Pourquoi Cyrano chasse-t-il le comédien Montfleury ?*

    ❒   Il n'aime pas les Italiens.

    ❒   Il le trouve prétentieux.

    ❒   Il le juge mauvais acteur.

❺ *Quel est le trait physique le plus frappant de Cyrano ?*

    ❒   Sa musculature.

    ❒   Son nez.

    ❒   Sa taille.

❻ *Comment se termine le duel entre Cyrano et le vicomte de Valvert ?*

    ❒   Le vicomte est vaincu.

    ❒   Cyrano s'enfuit.

    ❒   Le vicomte appelle à l'aide ses partisans, qui blessent Cyrano.

❼ *Qu'est-ce que Cyrano avoue à son ami Le Bret ?*

    ❒   Qu'il a demandé Roxane en mariage.

    ❒   Que Roxane l'aime.

    ❒   Qu'il aime Roxane.

Des questions pour aller plus loin

👉 Découvrir les scènes d'exposition

Un spectacle étonnant

❶ D'après la didascalie initiale, quel décor le spectateur découvre-t-il au lever du rideau ? En quoi est-ce surprenant ?

❷ À l'aide des trois premières scènes, montrez qu'au XVIIᵉ siècle une salle de théâtre est aussi un lieu de vie.

❸ En vous appuyant sur les personnages présents dans l'acte I, montrez que le public d'un théâtre du XVIIᵉ siècle est composé de toutes les classes sociales.

❹ Quelle atmosphère règne dans la salle ? Justifiez votre réponse en citant des paroles de personnages et des didascalies.

❺ À quels moments le spectacle a-t-il lieu davantage dans la salle que sur scène ? Lorsque le spectacle se trouve bien sur scène, s'agit-il de celui qu'on attendait ?

❻ Quels passages de ce premier acte vous ont amusé(e), et quels passages vous ont ému(e) ?

L'entrée en scène de Cyrano

❼ Quels talents de Cyrano le duel en vers (p. 55-57) révèle-t-il ?

❽ Dans la tirade du nez (p. 50-52), de qui Cyrano se moque-t-il ? Quel est l'effet produit ?

❾ Dans la scène 4, choisissez un exemple de repartie par laquelle Cyrano humilie son adversaire tout en amusant son double public.

❿ Selon vous, quels sont les principaux traits de caractère de Cyrano ? Justifiez votre réponse par quelques citations.

La mise en place de l'intrigue amoureuse

❶ Cet acte révèle les sentiments amoureux de plusieurs personnages : qui aime qui ? À quoi peut-on s'attendre pour la suite de l'intrigue ?

❷ En vous appuyant sur la scène 2, faites le portrait physique et moral de Roxane.

❸ Pour quelle raison Christian et Cyrano pensent-ils chacun n'avoir aucune chance d'être aimés de Roxane ? Justifiez votre réponse en citant le texte.

❹ Quelles qualités de Christian et de Cyrano sont susceptibles de plaire à Roxane ?

❺ À la fin de l'acte, quel est l'état d'esprit de Cyrano ? Pourquoi ?

Rappelez-vous !

Les premières scènes d'une pièce de théâtre s'appellent des scènes d'exposition : elles présentent les personnages et les liens qui les unissent, et donnent au spectateur toutes les informations nécessaires à la compréhension de l'intrigue. Ici, on découvre que Christian et Cyrano aiment tous les deux Roxane ; mais chacun d'eux pense qu'il ne peut pas lui plaire.

De la lecture à l'écriture

Des mots pour mieux écrire **Histoire des arts**

❶ **Complétez les légendes de ce schéma à l'aide des mots suivants :** coulisses, galeries, loges, parterre, scène.

SALLE DE L'HÔTEL DE BOURGOGNE [1647]

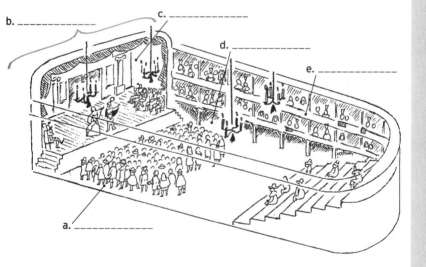

b. _____

c. _____

d. _____

e. _____

a. _____

❷ **Dans la tirade du nez (p. 50-52), Cyrano emploie de nombreux adjectifs afin de caractériser les différents tons qu'il emploie.**

a. Cherchez le sens que prennent les adjectifs suivants dans le texte : gracieux, truculent, cavalier, naïf, campagnard.

b. Employez chacun d'eux dans une phrase qui en éclairera le sens.

À vous d'écrire

❶ De retour chez lui, le fils du Bourgeois (voir p. 14-16) décide d'écrire une lettre à un ami pour lui faire le récit de cette étonnante soirée, au cours de laquelle le spectacle ne fut pas vraiment celui que l'on avait annoncé.

Consigne. Rédigez cette lettre en insistant sur la personnalité extraordinaire de Cyrano. Utilisez le présent de l'indicatif et le passé composé. N'oubliez pas de respecter les règles de présentation d'une lettre intime.

❷ Vous vous rendez à un spectacle avec un(e) ami(e). Vous lui avouez que vous aimez quelqu'un qui sera présent dans la salle ce soir-là. Comme Christian, vous craignez de ne pas réussir à séduire cette personne. Écrivez ce dialogue en utilisant le discours direct.

Consigne. Respectez la présentation et la ponctuation du dialogue. Votre dialogue occupera au moins une trentaine de lignes.

Du texte à l'image

➡ Michel Vuillermoz dans la mise en scène de *Cyrano de Bergerac* par Denis Podalydès à la Comédie-Française, 2006.
(Image reproduite en couverture.)
➡ Gérard Depardieu (Cyrano) et Philippe Volter (le vicomte de Valvert) dans l'adaptation cinématographique de *Cyrano de Bergerac* par Jean-Paul Rappeneau, 1990.
(Image reproduite au verso de la couverture, en début d'ouvrage.)

👁 *Lire l'image*

❶ En voyant la photographie en couverture, avant d'avoir commencé la lecture, à quel genre de pièce s'attend-on ? Pourquoi ?

❷ Sur la photographie tirée du film, relevez tous les éléments (couleurs, costumes, position, physique...) qui mettent en évidence l'opposition des deux personnages.

❸ Pourquoi le réalisateur a-t-il choisi de placer les deux comédiens de profil par rapport à la caméra ?

📖 Comparer le texte et l'image

❹ D'après le costume et le visage des comédiens, quels traits de caractère de Cyrano sont mis en avant dans chacune de ces deux versions de la pièce ?

❺ La photographie en couverture représente le moment où Cyrano apparaît sur scène à la fin de la scène 3 ; la photographie tirée du film correspond à la scène 4. Dans les deux cas, la posture de Cyrano est-elle indiquée par des didascalies de Rostand ? Quel intérêt ces choix du réalisateur et du metteur en scène ont-ils ?

📝 À vous de créer

❻ Proposez une interprétation du duel en vers. Par deux, jouez un extrait de la scène 4, vers 388 à 435.

Travaillez la mise en scène de ce passage : exploitez les didascalies données par le texte, et enrichissez le jeu par d'autres gestes et intonations.

ACTE II
La rôtisserie des poètes

La boutique de Ragueneau, rôtisseur-pâtissier, vaste ouvroir au coin de la rue Saint-Honoré et de la rue de l'Arbre-Sec qu'on aperçoit largement au fond, par le vitrage de la porte, grises dans les premières lueurs de l'aube.

À gauche, premier plan, comptoir surmonté d'un dais[1] en fer forgé, auquel sont accrochés des oies, des canards, des paons blancs. Dans de grands vases de faïence de hauts bouquets de fleurs naïves, principalement des tournesols jaunes. Du même côté, second plan, immense cheminée devant laquelle, entre de monstrueux chenets, dont chacun supporte une petite marmite, les rôtis pleurent dans les lèchefrites[2].

À droite, premier plan avec porte. Deuxième plan, un escalier montant à une petite salle en soupente, dont on aperçoit l'intérieur par des volets ouverts ; une table y est dressée, un menu lustre flamand y luit : c'est un réduit où l'on va manger et boire. Une galerie de bois, faisant suite à l'escalier, semble mener à d'autres petites salles analogues.

Au milieu de la rôtisserie, un cercle en fer que l'on peut faire descendre avec une corde, et auquel de grosses pièces sont accrochées, fait un lustre de gibier.

Les fours, dans l'ombre, sous l'escalier, rougeoient. Des cuivres étincellent. Des broches tournent. Des pièces montées pyramident. Des jambons pendent. C'est le coup de feu matinal. Bousculade de marmitons[3] effarés, d'énormes cuisiniers et de minuscules gâte-sauces. Foisonnement de bonnets à plume de poulet ou à aile de pintade. On apporte, sur des

---

1. Dais : sorte de petit toit qui surmonte d'ordinaire un lit ou un trône.
2. Lèchefrites : ustensiles qui récupèrent la graisse coulant des viandes rôties.
3. Marmitons : apprentis en cuisine.

plaques de tôle et des clayons [1] d'osier, des quinconces [2] de brioches, des villages de petits-fours.

Des tables sont couvertes de gâteaux et de plats. D'autres, entourées de chaises, attendent les mangeurs et les buveurs. Une plus petite, dans un coin, disparaît sous les papiers. Ragueneau y est assis au lever du rideau, il écrit.

Scène 1

RAGUENEAU, PÂTISSIER, *puis* LISE ;
*Ragueneau, à la petite table, écrivant
d'un air inspiré, et comptant sur ses doigts.*

PREMIER PÂTISSIER, *apportant une pièce montée.*
Fruits en nougat !

DEUXIÈME PÂTISSIER, *apportant un plat.*
Flan !

TROISIÈME PÂTISSIER, *apportant un rôti paré de plumes.*
Paon !

QUATRIÈME PÂTISSIER, *apportant une plaque de gâteaux.*
Roinsoles !

CINQUIÈME PÂTISSIER, *apportant une sorte
de terrine.*
Bœuf en daube !

RAGUENEAU, *cessant d'écrire et levant la tête.*
615 Sur les cuivres, déjà, glisse l'argent de l'aube !
Étouffe en toi le dieu qui chante, Ragueneau !

---

1. Clayons : plateaux en osier où l'on faisait sécher des aliments.
2. Quinconces : dispositions en échiquier.

L'heure du luth viendra, – c'est l'heure du fourneau !

Il se lève. – À un cuisinier.

Vous, veuillez m'allonger[1] cette sauce, elle est courte !

LE CUISINIER

De combien ?

RAGUENEAU

De trois pieds.

Il passe.

LE CUISINIER

Hein !

PREMIER PÂTISSIER

La tarte !

DEUXIÈME PÂTISSIER

La tourte !

RAGUENEAU, *devant la cheminée.*

620 Ma Muse, éloigne-toi, pour que tes yeux charmants
N'aillent pas se rougir au feu de ces sarments !

À un pâtissier, lui montrant des pains.

Vous avez mal placé la fente de ces miches :
Au milieu la césure, – entre les hémistiches[2] !

À un autre, lui montrant un pâté inachevé.

À ce palais de croûte, il faut, vous, mettre un toit…

À un jeune apprenti, qui, assis par terre, embroche des volailles.

625 Et toi, sur cette broche interminable, toi,
Le modeste poulet et la dinde superbe,
Alterne-les, mon fils, comme le vieux Malherbe[3]
Alternait les grands vers avec les plus petits,
Et fais tourner au feu des strophes de rôtis !

---

1. Allonger : en cuisine, ajouter du bouillon à une préparation pour la rendre moins épaisse.
2. Hémistiches : deux moitiés d'un alexandrin, séparées par la césure.
3. Malherbe (1555-1628) : poète dont les œuvres mêlent souvent vers courts et vers longs.

UN AUTRE APPRENTI, *s'avançant*
avec un plateau recouvert d'une assiette.

630 Maître, en pensant à vous, dans le four, j'ai fait cuire
Ceci, qui vous plaira, je l'espère.

Il découvre le plateau, on voit une grande lyre[1] *de pâtisserie.*

RAGUENEAU, *ébloui.*
Une lyre !

L'APPRENTI
En pâte de brioche.

RAGUENEAU, *ému.*
Avec des fruits confits !

L'APPRENTI
Et les cordes, voyez, en sucre je les fis.

RAGUENEAU, *lui donnant de l'argent.*
Va boire à ma santé !

Apercevant Lise qui entre.
Chut ! ma femme ! Circule.

635 Et cache cet argent !

À Lise, lui montrant la lyre d'un air gêné.
C'est beau ?

LISE
C'est ridicule !

Elle pose sur le comptoir une pile de sacs en papier.

RAGUENEAU
Des sacs ?… Bon. Merci.

Il les regarde.
Ciel ! Mes livres vénérés !
Les vers de mes amis ! déchirés ! démembrés !

---

1. Lyre : instrument à cordes de l'Antiquité qui symbolise la poésie.

Pour en faire des sacs à mettre des croquantes[1].
Ah! vous renouvelez Orphée et les bacchantes[2]!

LISE, *sèchement.*

640 Eh! n'ai-je pas le droit d'utiliser vraiment
Ce que laissent ici, pour unique paiement,
Vos méchants écriveurs de lignes inégales!

RAGUENEAU

Fourmi!… n'insulte pas ces divines cigales!

LISE

Avant de fréquenter ces gens-là, mon ami,
645 Vous ne m'appeliez pas bacchante, – ni fourmi!

RAGUENEAU

Avec des vers, faire cela!

LISE

Pas autre chose.

RAGUENEAU

Que faites-vous, alors, madame, avec la prose?

Scène 2

LES MÊMES, DEUX ENFANTS,
qui viennent d'entrer dans la pâtisserie.

RAGUENEAU

Vous désirez, petits?

---

1. Croquantes : pâtisseries.
2. Orphée et les Bacchantes : dans la mythologie grecque, Orphée, le premier poète,
fut tué par les Bacchantes.

PREMIER ENFANT
Trois pâtés.

RAGUENEAU, *les servant.*
Là, bien roux…

Et bien chauds.

DEUXIÈME ENFANT
S'il vous plaît, enveloppez-les-nous ?

RAGUENEAU, *saisi, à part[1].*
650 Hélas ! un de mes sacs !

Aux enfants.

Que je les enveloppe ?…
Il prend un sac et au moment d'y mettre les pâtés, il lit.
« *Tel Ulysse, le jour qu'il quitta Pénélope…* »
Pas celui-ci !…

Il le met de côté et en prend un autre.
Au moment d'y mettre les pâtés, il lit.

« *Le blond Phœbus[2]…* » Pas celui-là !

Même jeu.

LISE, *impatientée.*
Eh bien ! qu'attendez-vous ?

RAGUENEAU
Voilà, voilà, voilà !
Il en prend un troisième et se résigne.
Le sonnet à Philis !… mais c'est dur tout de même !

LISE
655 C'est heureux qu'il se soit décidé !

Haussant les épaules.

Nicodème[3] !

---

1. **À part** : sans que le personnage soit entendu par les autres.
2. **Phœbus** : dans la mythologie romaine, dieu du soleil.
3. **Nicodème** : personne niaise.

*Elle monte sur une chaise et se met
à ranger des plats sur une crédence.*

RAGUENEAU, *profitant de ce qu'elle tourne
le dos, rappelle les enfants déjà à la porte.*
Pst!… Petits!… Rendez-moi le sonnet à Philis,
Au lieu de trois pâtés je vous en donne six.

*Les enfants lui rendent le sac, prennent vivement les gâteaux et sortent.
Ragueneau, défripant le papier, se met à lire en déclamant.*
« Philis!…» Sur ce doux nom, une tache de beurre!…
« Philis!… »

Cyrano entre brusquement.

Scène 3

RAGUENEAU, LISE, CYRANO,
puis LE MOUSQUETAIRE

CYRANO
Quelle heure est-il?

RAGUENEAU, *le saluant avec empressement.*
Six heures.

CYRANO, *avec émotion.*
Dans une heure!

Il va et vient dans la boutique.

RAGUENEAU, *le suivant.*
660   Bravo? J'ai vu…

CYRANO
Quoi donc!

RAGUENEAU
Votre combat!…

CYRANO
Lequel?

RAGUENEAU
Celui de l'hôtel de Bourgogne!

CYRANO, *avec dédain.*
Ah!… Le duel!…

RAGUENEAU, *admiratif.*
Oui, le duel en vers!…

LISE
Il en a plein la bouche!

CYRANO
Allons! tant mieux!

RAGUENEAU, *se fendant*
avec une broche qu'il a saisie.
« *À la fin de l'envoi, je touche!…*
À la fin de l'envoi, je touche!… » Que c'est beau!

Avec un enthousiasme croissant.

665   « *À la fin de l'envoi* »

CYRANO
Quelle heure, Ragueneau?

RAGUENEAU, *restant fendu*
pour regarder l'horloge.
Six heures cinq!… « *… je touche!* »

Il se relève.

… Oh! faire une ballade!

LISE, *à Cyrano, qui en passant devant*
son comptoir lui a serré distraitement la main.

Qu'avez-vous à la main ?

CYRANO

Rien. Une estafilade[1].

RAGUENEAU

Courûtes-vous quelque péril ?

CYRANO

Aucun péril.

LISE, *le menaçant du doigt.*

Je crois que vous mentez !

CYRANO

Mon nez remuerait-il ?

670   Il faudrait que ce fût pour un mensonge énorme !

Changeant de ton.

J'attends ici quelqu'un. Si ce n'est pas sous l'orme[2],
Vous nous laisserez seuls.

RAGUENEAU

C'est que je ne peux pas ;
Mes rimeurs vont venir…

LISE, *ironique.*

Pour leur premier repas.

CYRANO

Tu les éloigneras quand je te ferai signe…
675   L'heure ?

RAGUENEAU

Six heures dix.

---

1. **Estafilade** : coupure.
2. **Si ce n'est pas sous l'orme** : si elle vient réellement.

CYRANO, *s'asseyant nerveusement*
à la table de Ragueneau et prenant du papier.
Une plume?...

RAGUENEAU, *lui offrant celle qu'il a à son oreille.*
De cygne.

UN MOUSQUETAIRE,
superbement moustachu, entre et d'une voix de stentor[1].
Salut!

Lise remonte vivement vers lui.

CYRANO, *se retournant.*
Qu'est-ce?

RAGUENEAU
Un ami de ma femme. Un guerrier
Terrible, – à ce qu'il dit!...

CYRANO, *reprenant la plume*
et éloignant du geste Ragueneau.
Chut!...

À lui-même.

Écrire, – plier, –
Lui donner, – me sauver...

Jetant la plume.

Lâche!... Mais que je meure,
Si j'ose lui parler, lui dire un seul mot...

À Ragueneau.

L'heure?

RAGUENEAU
680   Six et quart!

CYRANO, *frappant sa poitrine.*
... un seul mot de tous ceux que j'ai là!

---

1. **D'une voix de stentor** : d'une voix très puissante.

Tandis qu'en écrivant…

Il reprend la plume.

Eh bien ! écrivons-la,
Cette lettre d'amour qu'en moi-même j'ai faite
Et refaite cent fois, de sorte qu'elle est prête.
Et que mettant mon âme à côté du papier,
685 Je n'ai tout simplement qu'à la recopier.

Il écrit. – Derrière le vitrage de la porte on voit s'agiter des silhouettes maigres et hésitantes.

Scène 4

RAGUENEAU, LISE,
LE MOUSQUETAIRE, CYRANO, *à la petite table, écrivant,*
LES POÈTES, *vêtus de noir, les bas tombants, couverts de boue.*

LISE, *entrant, à Ragueneau.*

Les voici vos crottés !

PREMIER POÈTE, *entrant, à Ragueneau.*
Confrère !…

DEUXIÈME POÈTE, *de même,*
lui secouant les mains.
Cher confrère !

TROISIÈME POÈTE

Aigle des pâtissiers !

Il renifle.

Ça sent bon dans votre aire.

QUATRIÈME POÈTE

Ô Phœbus-Rôtisseur !

CINQUIÈME POÈTE
Apollon[1] maître-queux[2] !…

RAGUENEAU, *entoure, embrasse, secoue.*
Comme on est tout de suite à son aise avec eux !…

PREMIER POÈTE
690 Nous fûmes retardés par la foule attroupée
À la porte de Nesle !

DEUXIÈME POÈTE
Ouverts à coups d'épée,
Huit malandrins[3] sanglants illustraient les pavés !

CYRANO, *levant une seconde la tête.*
Huit ?… Tiens, je croyais sept.
Il reprend sa lettre.

RAGUENEAU, *à Cyrano.*
Est-ce que vous savez
Le héros du combat ?

CYRANO, *négligemment.*
Moi ?… Non !

LISE, *au mousquetaire.*
Et vous ?

LE MOUSQUETAIRE, *se frisant la moustache.*
Peut-être !

CYRANO, *écrivant, à part,*
on l'entend murmurer de temps en temps.
695 *Je vous aime…*

---

1. Apollon : dans la mythologie grecque, dieu du chant, de la musique et de la poésie.
2. Maître-queux : chef cuisinier.
3. Malandrins : brigands.

PREMIER POÈTE

Un seul homme, assurait-on, sut mettre
Toute une bande en fuite!...

DEUXIÈME POÈTE

Oh! c'était curieux!
Des piques, des bâtons jonchaient le sol!...

CYRANO, *écrivant.*

... *vos yeux...*

TROISIÈME POÈTE

On trouvait des chapeaux jusqu'au quai des Orfèvres!

PREMIER POÈTE

Sapristi! ce dut être un féroce...

CYRANO, *même jeu.*
... *vos lèvres...*

PREMIER POÈTE

700   Un terrible géant, l'auteur de ces exploits!

CYRANO, *même jeu.*
... *Et je m'évanouis de peur quand je vous vois.*

DEUXIÈME POÈTE, *happant un gâteau.*
Qu'as-tu rimé de neuf, Ragueneau?

CYRANO

... *qui vous aime...*
Il s'arrête au moment de signer, et se lève,
mettant sa lettre dans son pourpoint.
Pas besoin de signer. Je la donne moi-même.

RAGUENEAU, *au deuxième poète.*
J'ai mis une recette en vers.

TROISIÈME POÈTE, *s'installant*
près d'un plateau de choux à la crème.
Oyons ces vers !

QUATRIÈME POÈTE,
regardant une brioche qu'il a prise.
705 Cette brioche a mis son bonnet de travers.

Il la décoiffe d'un coup de dent.

PREMIER POÈTE
Ce pain d'épice suit le rimeur famélique[1],
De ses yeux en amande aux sourcils d'angélique[2] !

Il happe le morceau de pain d'épice.

DEUXIÈME POÈTE
Nous écoutons.

TROISIÈME POÈTE, *serrant*
légèrement un chou entre ses doigts.
Ce chou bave sa crème. Il rit.

DEUXIÈME POÈTE, *mordant*
à même la grande lyre de pâtisserie.
Pour la première fois la Lyre me nourrit !

RAGUENEAU, *qui s'est préparé à réciter,*
qui a toussé, assuré son bonnet, pris une pose.
710 Une recette en vers…

DEUXIÈME POÈTE, *au premier,*
lui donnant un coup de coude.
Tu déjeunes ?

PREMIER POÈTE, *au deuxième.*
Tu dînes !

---

1. **Famélique** : affamé.
2. **Angélique** : plante comestible qui se consomme en général confite.

RAGUENEAU
Comment on fait les tartelettes amandines.

Battez, pour qu'ils soient mousseux,
    Quelques œufs ;
Incorporez à leur mousse
715   Un jus de cédrat[1] choisi ;
    Versez-y
Un bon lait d'amande douce ;

Mettez de la pâte à flan
    Dans le flanc
720   De moules à tartelette ;
D'un doigt preste, abricotez[2]
    Les côtés ;
Versez goutte à gouttelette

Votre mousse en ces puits, puis
725   Que ces puits
Passent au four, et, blondines,
Sortant en gais troupelets,
    Ce sont les
Tartelettes amandines !

      LES POÈTES, *la bouche pleine.*
730 Exquis ! Délicieux !

        UN POÈTE, *s'étouffant.*
    Homph !

      Ils remontent vers le fond, en mangeant.
      Cyrano qui a observé s'avance vers Ragueneau.

        CYRANO
    Bercés par ta voix,

---

1. Cédrat : agrume proche du citron.
2. Abricotez : nappez de sirop.

Ne vois-tu pas comme ils s'empiffrent ?

RAGUENEAU, plus bas, avec un sourire.

Je le vois…

Sans regarder, de peur que cela ne les trouble ;
Et dire ainsi mes vers me donne un plaisir double,
Puisque je satisfais un doux faible que j'ai

735 Tout en laissant manger ceux qui n'ont pas mangé !

CYRANO, lui frappant sur l'épaule.

Toi tu me plais !…

Ragueneau va rejoindre ses amis.
Cyrano le suit des yeux, puis, un peu brusquement.

Hé là, Lise ?

Lise, en conversation tendre avec le mousquetaire,
tressaille et descend vers Cyrano.

Ce capitaine…

Vous assiège ?

LISE, offensée.

Oh ! mes yeux, d'une œillade hautaine[1],

Savent vaincre quiconque attaque mes vertus.

CYRANO

Euh ! pour des yeux vainqueurs, je les trouve battus.

LISE, suffoquée.

740 Mais…

CYRANO, nettement.

Ragueneau me plaît. C'est pourquoi, dame Lise,

Je défends que quelqu'un le ridicoculise.

LISE

Mais…

---

1. **D'une œillade hautaine** : d'un coup d'œil clairement méprisant.

CYRANO, *qui a élevé*
la voix assez pour être entendu du galant[1].

À bon entendeur…

Il salue le mousquetaire, et va se mettre en observation, à la porte du fond, après avoir regardé l'horloge.

LISE, *au mousquetaire*
qui a simplement rendu son salut à Cyrano.

Vraiment, vous m'étonnez !…
Répondez… sur son nez…

LE MOUSQUETAIRE

Sur son nez… sur son nez…

Il s'éloigne vivement, Lise le suit.

CYRANO, *de la porte du fond,*
faisant signe à Ragueneau d'emmener les poètes.

Pst !…

RAGUENEAU, *montrant aux poètes la porte de droite.*

Nous serons bien mieux par là…

CYRANO, *s'impatientant.*

Pst ! Pst !…

RAGUENEAU, *les entraînant.*

Pour lire

745   Des vers…

PREMIER POÈTE, *désespéré, la bouche pleine.*

Mais les gâteaux !…

DEUXIÈME POÈTE

Emportons-les !

Ils sortent tous derrière Ragueneau, processionnellement, et après avoir fait une rafle de plateaux.

_____

1. **Galant** : homme empressé auprès des femmes.

Scène 5

CYRANO, ROXANE, LA DUÈGNE

CYRANO

Je tire
Ma lettre si je sens seulement qu'il y a
Le moindre espoir !

*Roxane, masquée, suivie de la duègne,
paraît derrière le vitrage. Il ouvre vivement la porte.*

Entrez !...

Marchant sur la duègne.

Vous, deux mots, duegna !

LA DUÈGNE

Quatre.

CYRANO

Êtes-vous gourmande ?

LA DUÈGNE

À m'en rendre malade.

CYRANO, *prenant vivement
des sacs de papier sur le comptoir.*

Bon. Voici deux sonnets de monsieur Benserade...

LA DUÈGNE, *piteuse.*

750   Heu !...

CYRANO

... que je vous remplis de darioles[1].

LA DUÈGNE, *changeant de figure.*

Hou !

_____
1. **Darioles** : gâteaux à la crème.

CYRANO

Aimez-vous le gâteau qu'on nomme petit chou?

LA DUÈGNE, *avec dignité.*

Monsieur, j'en fais état, lorsqu'il est à la crème.

CYRANO

J'en plonge six pour vous dans le sein d'un poème
De Saint-Amant! Et dans ces vers de Chapelain
755 Je dépose un fragment, moins lourd, de poupelin[1].
Ah! Vous aimez les gâteaux frais?

LA DUÈGNE

J'en suis férue!

CYRANO, *lui chargeant les bras de sacs remplis.*

Veuillez aller manger tous ceux-ci dans la rue.

LA DUÈGNE

Mais…

CYRANO, *la poussant dehors.*

Et ne revenez qu'après avoir fini!

Il referme la porte, redescend vers Roxane,
et s'arrête, découvert, à une distance respectueuse.

Scène 6

CYRANO, ROXANE, LA DUÈGNE, *un instant.*

CYRANO

Que l'instant entre tous les instants soit béni,
760 Où, cessant d'oublier qu'humblement je respire
Vous venez jusqu'ici pour me dire… me dire?…

---

1. Poupelin : gâteau trempé dans le beurre à sa sortie du four.

ROXANE, *qui s'est démasquée.*

Mais tout d'abord merci, car ce drôle, ce fat
Qu'au brave jeu d'épée, hier, vous avez fait mat[1]
C'est lui qu'un grand seigneur… épris de moi…

CYRANO

De Guiche?

ROXANE, *baissant les yeux.*

765 Cherchait à m'imposer… comme mari…

CYRANO

Postiche[2]?

Saluant.

Je me suis donc battu, madame, et c'est tant mieux,
Non pour mon vilain nez, mais bien pour vos beaux yeux.

ROXANE

Puis… je voulais… Mais pour l'aveu que je viens faire,
Il faut que je revoie en vous le… presque frère,
770 Avec qui je jouais, dans le parc – près du lac!…

CYRANO

Oui… Vous veniez tous les étés à Bergerac!…

ROXANE

Les roseaux fournissaient le bois pour vos épées…

CYRANO

Et les maïs, les cheveux blonds pour vos poupées!

ROXANE

C'était le temps des jeux…

CYRANO

Des mûrons[3] aigrelets…

---

1. Fait mat : vaincu.
2. Postiche : faux, artificiel.
3. Mûrons : mûres.

ROXANE

775 Le temps où vous faisiez tout ce que je voulais!…

CYRANO

Roxane, en jupons courts, s'appelait Madeleine…

ROXANE

J'étais jolie, alors?

CYRANO

Vous n'étiez pas vilaine.

ROXANE

Parfois, la main en sang de quelque grimpement,
Vous accouriez! – Alors, jouant à la maman,
780 Je disais d'une voix qui tâchait d'être dure:

Elle lui prend la main.

«Qu'est-ce que c'est encore que cette égratignure?»

Elle s'arrête stupéfaite.

Oh! C'est trop fort! Et celle-ci!

Cyrano veut retirer sa main.

Non! Montrez-la!
Hein? à vôtre âge, encor! – Où t'es-tu fait cela?

CYRANO

En jouant, du côté de la porte de Nesle.

ROXANE, *s'asseyant à une table,*
et trempant son mouchoir dans un verre d'eau.

785 Donnez!

CYRANO, *s'asseyant aussi.*
Si gentiment! Si gaiement maternelle!

ROXANE

Et, dites-moi, – pendant que j'ôte un peu le sang, –
Ils étaient contre vous?

CYRANO

Oh ! pas tout à fait cent.

ROXANE

Racontez !

CYRANO

Non. Laissez. Mais vous, dites la chose
Que vous n'osiez tantôt me dire…

ROXANE, *sans quitter sa main.*

À présent j'ose,
790 Car le passé m'encouragea de son parfum !
Oui, j'ose maintenant. Voilà. J'aime quelqu'un.

CYRANO

Ah !…

ROXANE

Qui ne le sait pas d'ailleurs.

CYRANO

Ah !…

ROXANE

Pas encore.

CYRANO

Ah !…

ROXANE

Mais qui va bientôt le savoir, s'il l'ignore.

CYRANO

Ah !…

ROXANE

Un pauvre garçon qui jusqu'ici m'aima
795 Timidement, de loin, sans oser le dire…

CYRANO

Ah!…

ROXANE

Laissez-moi votre main, voyons, elle a la fièvre. –
Mais moi j'ai vu trembler les aveux sur sa lèvre.

CYRANO

Ah!…

ROXANE, *achevant de lui faire
un petit bandage avec son mouchoir.*

Et figurez-vous, tenez, que, justement
Oui, mon cousin, il sert dans votre régiment!

CYRANO

800 Ah!…

ROXANE, *riant.*

Puisqu'il est cadet dans votre compagnie!

CYRANO

Ah!…

ROXANE

Il a sur son front de l'esprit, du génie,
Il est fier, noble, jeune, intrépide, beau…

CYRANO, *se levant tout pâle.*

Beau!

ROXANE

Quoi? Qu'avez-vous?

CYRANO

Moi, rien… C'est… c'est…
Il montre sa main, avec un sourire.
C'est ce bobo.

ROXANE

Enfin, je l'aime. Il faut d'ailleurs que je vous die[1]
810 Que je ne l'ai jamais vu qu'à la Comédie…

CYRANO

Vous ne vous êtes donc pas parlé?

ROXANE

Nos yeux seuls.

CYRANO

Mais comment savez-vous, alors?

ROXANE

Sous les tilleuls
De la place Royale, on cause… Des bavardes
M'ont renseignée…

CYRANO

Il est cadet?

ROXANE

Cadet aux gardes.

CYRANO

810 Son nom?

ROXANE

Baron Christian de Neuvillette.

CYRANO

Hein?…
Il n'est pas aux cadets.

ROXANE

Si, depuis ce matin:
Capitaine Carbon de Castel-Jaloux[2].

---

1. Que je vous die : que je vous dise (forme ancienne, nécessaire ici pour la rime).
2. Carbon de Castel-Jaloux : nom du capitaine qui commande les cadets.

CYRANO

Vite,

Vite, on lance son cœur !… Mais ma pauvre petite…

LA DUÈGNE, *ouvrant la porte du fond.*

J'ai fini les gâteaux, monsieur de Bergerac !

CYRANO

815 Eh bien ! lisez les vers imprimés sur le sac !

La duègne disparaît.

… Ma pauvre enfant, vous qui n'aimez que beau langage,
Bel esprit, – si c'était un profane, un sauvage.

ROXANE

Non, il a les cheveux d'un héros de d'Urfé[1] !

CYRANO

S'il était aussi maldisant que bien coiffé !

ROXANE

820 Non, tous les mots qu'il dit sont fins, je le devine !

CYRANO

Oui, tous les mots sont fins quand la moustache est fine.
– Mais si c'était un sot !…

ROXANE, *frappant du pied.*

Eh bien ! j'en mourrais, là !

CYRANO, *après un temps.*

Vous m'avez fait venir pour me dire cela ?
Je n'en sens pas très bien l'utilité, madame.

ROXANE

825 Ah, c'est que quelqu'un hier m'a mis la mort dans l'âme,
Et me disant que tous, vous êtes tous Gascons
Dans votre compagnie…

---

1. Honoré d'Urfé (1567-1625) : auteur du roman *L'Astrée* qui a eu une grande influence sur le courant précieux au XVIIe siècle.

CYRANO

Et que nous provoquons
Tous les blancs-becs qui, par faveur, se font admettre
Parmi les purs Gascons que nous sommes, sans l'être ?
830 C'est ce qu'on vous a dit ?

ROXANE

Et vous pensez si j'ai
Tremblé pour lui !

CYRANO, *entre ses dents.*
Non sans raison !

ROXANE

Mais j'ai songé
Lorsque invincible et grand, hier, vous nous apparûtes,
Châtiant ce coquin, tenant tête à ces brutes, –
J'ai songé : s'il voulait, lui que tous ils craindront…

CYRANO

835 C'est bien, je défendrai votre petit baron.

ROXANE

Oh, n'est-ce pas que vous allez me le défendre ?
J'ai toujours eu pour vous une amitié si tendre.

CYRANO

Oui, oui.

ROXANE

Vous serez son ami ?

CYRANO

Je le serai.

ROXANE

Et jamais il n'aura de duel ?

CYRANO

C'est juré.

ROXANE

840 Oh! je vous aime bien. Il faut que je m'en aille.

Elle remet vivement son masque,
une dentelle sur son front, et, distraitement.

Mais vous ne m'avez pas raconté la bataille
De cette nuit. Vraiment ce dut être inouï!...
– Dites-lui qu'il m'écrive.

Elle lui envoie un petit baiser de la main.
Oh! je vous aime!

CYRANO

Oui, oui.

ROXANE

Cent hommes contre vous? Allons, adieu. – Nous sommes
845 De grands amis.

CYRANO

Oui, oui.

ROXANE

Qu'il m'écrive! – Cent hommes! –
Vous me direz plus tard. Maintenant, je ne puis.
Cent hommes! Quel courage!

CYRANO, *la saluant.*

Oh! J'ai fait mieux depuis.

Elle sort. Cyrano reste immobile, les yeux à terre. Un silence. La porte
de droite s'ouvre. Ragueneau passe sa tête.

Scène 7

CYRANO, RAGUENEAU,
LES POÈTES, CARBON DE CASTEL-JALOUX,
LES CADETS, LA FOULE, *etc., puis* DE GUICHE

RAGUENEAU

Peut-on rentrer?

CYRANO, *sans bouger.*

Oui…

Ragueneau fait signe et ses amis rentrent. En même temps, à la porte du fond paraît Carbon de Castel-Jaloux, costume de capitaine aux gardes, qui fait de grands gestes en apercevant Cyrano.

CARBON DE CASTEL-JALOUX

Le voilà!

CYRANO, *levant la tête.*

Mon capitaine…

CARBON, *exultant.*

Notre héros! Nous savons tout! Une trentaine

850 De mes cadets sont là!…

CYRANO, *reculant.*

Mais…

CARBON, *voulant l'entraîner.*

Viens! on veut te voir!

CYRANO

Non!

CARBON

Ils boivent en face, à la Croix du Trahoir.

CYRANO

Je...

CARBON, *remontant à la porte,*
et criant à la cantonade, d'une voix de tonnerre.
Le héros refuse. Il est d'humeur bourrue !

UNE VOIX, *au-dehors.*

Ah ! Sandious !

Tumulte au-dehors, bruit d'épées et de bottes qui se rapprochent.

CARBON, *se frottant les mains.*
Les voici qui traversent la rue !...

LES CADETS, *entrant dans la rôtisserie.*
Mille dious ! – Capdedious ! – Mordious ! Pocapdedious[1] !

RAGUENEAU, *reculant épouvanté.*
855   Messieurs, vous êtes donc tous de Gascogne !

LES CADETS

Tous !

UN CADET, *à Cyrano.*

Bravo !

CYRANO

Baron !

UN AUTRE, *lui secouant les mains.*
Vivat !

CYRANO

Baron !

TROISIÈME CADET
Que je t'embrasse !

CYRANO

Baron !...

_____

1. **Mille dious ! – Capdedious ! – Mordious ! Pocapdedious !** : jurons gascons.

PLUSIEURS GASCONS
Embrassons-le !

CYRANO, *ne sachant auquel répondre.*
Baron… baron… de grâce…

RAGUENEAU
Vous êtes tous barons, messieurs ?

LES CADETS
Tous ?

RAGUENEAU
Le sont-ils ?…

PREMIER CADET
On ferait une tour rien qu'avec nos tortils[1] !

LE BRET, *entrant, et courant à Cyrano.*
860 On te cherche ! Une foule en délire conduite
Par ceux qui cette nuit marchèrent à ta suite…

CYRANO, *épouvanté.*
Tu ne leur as pas dit où je me trouve ?…

LE BRET, *se frottant les mains.*
Si !

UN BOURGEOIS, *entrant suivi d'un groupe.*
Monsieur, tout le Marais[2] se fait porter ici !

Au-dehors la rue s'est remplie de monde.
Des chaises à porteurs, des carrosses s'arrêtent.

LE BRET, *bas, souriant, à Cyrano.*
Et Roxane ?

CYRANO, *vivement.*
Tais-toi !

—————————————
1. **Tortils** : rubans autour d'une couronne.
2. **Tout le Marais** : au XVIIᵉ siècle, quartier qui était le centre artistique et culturel de Paris.

LA FOULE, *criant dehors.*
Cyrano!…

> *Une cohue se précipite dans la pâtisserie.*
> *Bousculade. Acclamations.*

RAGUENEAU, *debout sur une table.*
Ma boutique
865 Est envahie! On casse tout! C'est magnifique!

DES GENS, *autour de Cyrano.*
Mon ami… mon ami…

CYRANO
Je n'avais pas hier
Tant d'amis!…

LE BRET, *ravi.*
Le succès!

UN PETIT MARQUIS,
accourant, les mains tendues.
Si tu savais, mon cher…

CYRANO
Si tu?… Tu?… Qu'est-ce donc qu'ensemble nous gardâmes?

UN AUTRE
Je veux vous présenter, Monsieur, à quelques dames
870 Qui là dans mon carrosse…

CYRANO, *froidement.*
Et vous d'abord, à moi,
Qui vous présentera?

LE BRET, *stupéfait.*
Mais qu'as-tu donc?

CYRANO
Tais-toi!

UN HOMME DE LETTRES, *avec une écritoire.*
Puis-je avoir des détails sur?…

CYRANO
Non.

LE BRET, *lui poussant le coude.*
                                    C'est Théophraste
Renaudot! l'inventeur de la gazette[1].

CYRANO
Baste[2]!

LE BRET
Cette feuille où l'on fait tant de choses tenir!
875 On dit que cette idée a beaucoup d'avenir!

LE POÈTE, *s'avançant.*
Monsieur…

CYRANO
Encor!

LE POÈTE
Je veux faire un pentacrostiche[3]
Sur votre nom…

QUELQU'UN, *s'avançant encore.*
Monsieur…

CYRANO
Assez!

*Mouvement. On se range. De Guiche paraît escorté d'officiers. Cuigy,
Brissaille, les officiers qui sont partis avec Cyrano à la fin du premier
acte. Cuigy vient vivement à Cyrano.*

---

1. Gazette : ancêtre du journal. Théophraste Renaudot créa la sienne en 1631.
2. Baste : interjection qui marque l'indifférence ou la résignation.
3. Pentacrostiche : un acrostiche est un poème dont les lettres qui commencent les
vers forment un mot à la verticale. Un pentacrostiche en contient cinq.

CUIGY, *à Cyrano.*
                    Monsieur de Guiche !
                    Murmure. Tout le monde se range.
Vient de la part du maréchal de Gassion !

DE GUICHE, *saluant Cyrano.*
… Qui tient à vous mander son admiration
880   Pour le nouvel exploit dont le bruit vient de courre[1].

LA FOULE
Bravo !…

CYRANO, *s'inclinant.*
          Le maréchal s'y connaît en bravoure.

DE GUICHE
Il n'aurait jamais cru le fait si ces messieurs
N'avaient pu lui jurer l'avoir vu.

CUIGY
                    De nos yeux.

LE BRET, *bas à Cyrano, qui a l'air absent.*
Mais…

CYRANO
          Tais-toi !

LE BRET
          Tu parais souffrir !

CYRANO, *tressaillant
et se redressant vivement.*
                    Devant ce monde ?…
                    Sa moustache se hérisse ; il poitrine[2].
885   Moi souffrir ?… Tu vas voir !

---

1. Courre : courir.
2. Il poitrine : il bombe le torse.

DE GUICHE, *auquel Cuigy a parlé à l'oreille.*
                          Votre carrière abonde
De beaux exploits, déjà. – Vous servez chez ces fous
De Gascons, n'est-ce pas ?

CYRANO
Aux cadets, oui.

UN CADET, *d'une voix terrible.*
                          Chez nous !

DE GUICHE, *regardant*
les Gascons rangés derrière Cyrano.
Ah ! ah !… Tous ces messieurs à la mine hautaine,
Ce sont donc les fameux ?…

CARBON DE CASTEL-JALOUX
Cyrano !

CYRANO
                          Capitaine ?

CARBON
890 Puisque ma compagnie est, je crois, au complet,
Veuillez la présenter au comte, s'il vous plaît.

CYRANO, *faisant deux pas vers De Guiche,*
et montrant les cadets.
Ce sont les cadets de Gascogne
De Carbon de Castel-Jaloux ;
Bretteurs et menteurs sans vergogne,
895 Ce sont les cadets de Gascogne !
Parlant blason, lambel, bastogne[1],
Tous plus nobles que des filous,
Ce sont les cadets de Gascogne
De Carbon de Castel-Jaloux :

---
1. Lambel, bastogne : parties d'un blason.

900   Œil d'aigle, jambe de cigogne,
Moustache de chat, dents de loups,
Fendant la canaille qui grogne,
Œil d'aigle, jambe de cigogne,
Ils vont, – coiffés d'un vieux vigogne[1]
905   Dont la plume cache les trous ! –
Œil d'aigle, jambe de cigogne,
Moustache de chat, dents de loups !

Perce-Bedaine et Casse-Trogne
Sont leurs sobriquets[2] les plus doux ;
910   De gloire, leur âme est ivrogne !
Perce-Bedaine et Casse-Trogne,
Dans tous les endroits où l'on cogne
Ils se donnent des rendez-vous…
Perce-Bedaine et Casse-Trogne
915   Sont leurs sobriquets les plus doux !

Voici les cadets de Gascogne
Qui font cocus tous les jaloux !
Ô femme, adorable carogne[3],
Voici les cadets de Gascogne !
920   Que le vieil époux se renfrogne :
Sonnez, clairons ! chantez, coucous !
Voici les cadets de Gascogne
Qui font cocus tous les jaloux !

DE GUICHE, *nonchalamment assis*
dans un fauteuil que Ragueneau a vite apporté.
Un poëte est un luxe, aujourd'hui, qu'on se donne[4].
925 Voulez-vous être à moi ?

─────────────

1. **Vigogne** : chapeau de laine.
2. **Sobriquets** : surnoms.
3. **Carogne** : charogne.
4. **Qu'on se donne** : qu'on peut s'offrir (le poète protégé par un mécène lui est personnellement attaché).

CYRANO

Non, Monsieur, à personne.

DE GUICHE

Votre verve amusa mon oncle Richelieu,
Hier. Je veux vous servir[1] auprès de lui.

LE BRET, *ébloui.*

Grand Dieu !

DE GUICHE

Vous avez bien rimé cinq actes, j'imagine ?

LE BRET, *à l'oreille de Cyrano.*

Tu vas faire jouer, mon cher, ton Agrippine[2] !

DE GUICHE

930   Portez-les-lui.

CYRANO, *tenté et un peu charmé.*

Vraiment...

DE GUICHE

Il est des plus experts

Il vous corrigera seulement quelques vers...

CYRANO, *dont le visage
s'est immédiatement rembruni.*

Impossible, Monsieur ; mon sang se coagule
En pensant qu'on y peut changer une virgule.

DE GUICHE

Mais quand un vers lui plaît, en revanche, mon cher,
935   Il le paye très cher.

CYRANO

Il le paye moins cher

Que moi, lorsque j'ai fait un vers, et que je l'aime,
Je me le paye, en me le chantant à moi-même !

_____

1. **Vous servir** : vous présenter.
2. **Agrippine** : allusion à une pièce écrite par le vrai Cyrano, *La Mort d'Agrippine* (1654).

DE GUICHE

Vous êtes fier.

CYRANO

Vraiment, vous l'avez remarqué?

UN CADET, *entrant avec,*
enfilés à son épée, des chapeaux
aux plumets miteux, aux coiffes trouées, défoncées.

Regarde, Cyrano! ce matin, sur le quai,
940 Le bizarre gibier à plumes que nous prîmes!
Les feutres des fuyards!

CARBON

Des dépouilles opimes[1]!

TOUT LE MONDE, *riant.*

Ah! Ah! Ah!

CUIGY

Celui qui posta ces gueux, ma foi,
Doit rager aujourd'hui.

BRISSAILLE

Sait-on qui c'est?

DE GUICHE

C'est moi.

Les rires s'arrêtent.

Je les avais chargés de châtier, – besogne
945 Qu'on ne fait pas soi-même, – un rimailleur ivrogne.

Silence gêné.

LE CADET, *à mi-voix,*
à Cyrano, lui montrant les feutres.

Que faut-il qu'on en fasse? Ils sont gras… Un salmis[2]?

---

1. Dépouilles opimes : chez les Romains, biens qu'un général victorieux prenait au général ennemi.
2. Salmis : ragoût de gibier.

CYRANO, *prenant l'épée où ils sont enfilés,*
et les faisant, dans un salut, tous glisser aux pieds de De Guiche.
Monsieur, si vous voulez les rendre à vos amis ?

DE GUICHE, *se levant et d'une voix brève.*
Ma chaise et mes porteurs, tout de suite : je monte.

À Cyrano, violemment.
Vous, Monsieur !...

UNE VOIX, *dans la rue, criant.*
Les porteurs de monseigneur le comte
950   De Guiche !

DE GUICHE,
qui s'est dominé, avec un sourire.
... Avez-vous lu *Don Quichot*[1] ?

CYRANO
Je l'ai lu.
Et me découvre[2] au nom de cet hurluberlu[3].

DE GUICHE
Veuillez donc méditer alors...

UN PORTEUR, *paraissant au fond.*
Voici la chaise.

DE GUICHE
Sur le chapitre des moulins !

CYRANO, *saluant.*
Chapitre treize.

DE GUICHE
Car lorsqu'on les attaque, il arrive souvent...

---

1. Don Quichot : *L'Ingénieux Hidalgo Don Quichotte de la Manche*, roman de l'auteur espagnol Miguel de Cervantes (1547-1616). L'orthographe a été modifiée pour respecter la mesure de l'alexandrin.
2. Me découvre : enlève mon chapeau, en signe de respect.
3. Hurluberlu : étourdi.

CYRANO

955 J'attaque donc des gens qui tournent à tout vent?

DE GUICHE

Qu'un moulinet de leurs grands bras chargés de toiles
Vous lance dans la boue!…

CYRANO
Ou bien dans les étoiles!

*De Guiche sort. On le voit remonter en chaise. Les seigneurs s'éloi-
gnent en chuchotant. Le Bret les réaccompagne. La foule sort.*

Scène 8

CYRANO, LE BRET, LES CADETS, *qui se sont attablés
à droite et à gauche et auxquels on sert à boire et à manger.*

CYRANO, *saluant d'un air goguenard
ceux qui sortent sans oser le saluer.*

Messieurs… Messieurs… Messieurs…

LE BRET, *désolé, redescendant, les bras au ciel.*
Ah! dans quels jolis draps…

CYRANO

Oh! toi! tu vas grogner!

LE BRET
Enfin, tu conviendras

960 Qu'assassiner toujours la chance passagère,
Devient exagéré.

CYRANO
Hé bien oui, j'exagère!

120

LE BRET, *triomphant.*

Ah !

CYRANO

Mais pour le principe, et pour l'exemple aussi,
Je trouve qu'il est bon d'exagérer ainsi.

LE BRET

Si tu laissais un peu ton âme mousquetaire
965 La fortune et la gloire…

CYRANO

Et que faudrait-il faire ?
Chercher un protecteur puissant, prendre un patron,
Et comme un lierre obscur qui circonvient[1] un tronc
Et s'en fait un tuteur[2] en lui léchant l'écorce,
Grimper par ruse au lieu de s'élever par force ?
970 Non, merci. Dédier, comme tous ils le font,
Des vers aux financiers ? se changer en bouffon
Dans l'espoir vil de voir, aux lèvres d'un ministre,
Naître un sourire, enfin, qui ne soit pas sinistre ?
Non, merci. Déjeuner, chaque jour, d'un crapaud ?
975 Avoir un ventre usé par la marche ? une peau
Qui plus vite, à l'endroit des genoux, devient sale ?
Exécuter des tours de souplesse dorsale ?…
Non, merci. D'une main flatter la chèvre au cou
Cependant que, de l'autre, on arrose le chou,
980 Et donneur de séné par désir de rhubarbe[3],
Avoir son encensoir[4], toujours, dans quelque barbe ?
Non, merci ! Se pousser de giron en giron,
Devenir un petit grand homme dans un rond[5]

---

1. Circonvient : entoure.
2. Tuteur : piquet auquel on attache un arbuste pour le faire tenir droit.
3. Donneur de séné par désir de rhubarbe : rendant service en attendant une contre-partie.
4. Encensoir : objet servant à répandre la fumée de l'encens qu'on brûle dans les églises.
5. Rond : cercle, salon littéraire.

Et naviguer, avec des madrigaux[1] pour rames,
985 Et dans ses voiles des soupirs de vieilles dames?
Non, merci! Chez le bon éditeur de Sercy
Faire éditer ses vers en payant? Non, merci!
S'aller faire nommer pape par les conciles
Que dans les cabarets tiennent des imbéciles?
990 Non, merci! Travailler à se construire un nom
Sur un sonnet, au lieu d'en faire d'autres? Non,
Merci! Ne découvrir du talent qu'aux mazettes[2]?
Être terrorisé par de vagues gazettes,
Et se dire sans cesse: « Oh, pourvu que je sois
995 Dans les petits papiers du Mercure François[3]? »...
Non, merci! Calculer, avoir peur, être blême.
Préférer faire une visite qu'un poème,
Rédiger des placets[4], se faire présenter?
Non, merci! non, merci! non, merci! Mais... chanter,
1000 Rêver, rire, passer, être seul, être libre,
Avoir l'œil qui regarde bien, la voix qui vibre.
Mettre, quand il vous plaît, son feutre de travers,
Pour un oui, pour un non, se battre, – ou faire un vers!
Travailler sans souci de gloire ou de fortune,
1005 À tel voyage, auquel on pense, dans la lune!
N'écrire jamais rien qui de soi ne sortît,
Et modeste d'ailleurs, se dire: mon petit,
Sois satisfait des fleurs, des fruits, même des feuilles,
Si c'est dans ton jardin à toi que tu les cueilles!
1010 Puis, s'il advient d'un peu triompher, par hasard,
Ne pas être obligé d'en rien rendre à César[5],

---

1. Madrigaux : poèmes destinés à être chantés.
2. Mazettes : personnes qui manquent d'habileté.
3. Mercure François : journal qui traitait de politique ou de littérature.
4. Placets : demandes écrites pour obtenir une faveur.
5. César : titre des empereurs romains. L'expression « rendre à César ce qui est à César » signifie « rendre à chacun ce qui lui est dû ».

Vis-à-vis de soi-même en garder le mérite,
Bref, dédaignant d'être le lierre parasite,
Lors même qu'on n'est pas le chêne ou le tilleul,
1015 Ne pas monter bien haut, peut-être, mais tout seul !

LE BRET

Tout seul, soit ! mais non pas contre tous ! Comment diable
As-tu donc contracté la manie effroyable
De te faire toujours, partout, des ennemis ?

CYRANO

À force de vous voir vous faire des amis,
1020 Et rire à ces amis dont vous avez des foules,
D'une bouche empruntée au derrière des poules !
J'aime raréfier sur mes pas les saluts,
Et m'écrie avec joie : un ennemi de plus !

LE BRET

Quelle aberration[1] !

CYRANO

                    Eh bien ! oui, c'est mon vice.
1025 Déplaire est mon plaisir. J'aime qu'on me haïsse.
Mon cher, si tu savais comme l'on marche mieux
Sous la pistolétade excitante des yeux !
Comme, sur les pourpoints, font d'amusantes taches
Le fiel[2] des envieux et la bave des lâches !
1030 – Vous, la molle amitié dont vous vous entourez,
Ressemble à ces grands cols d'Italie, ajourés
Et flottants, dans lesquels votre cou s'effémine :
On y est plus à l'aise… et de moins haute mine[3].
Car le front n'ayant pas de maintien ni de loi,
1035 S'abandonne à pencher dans tous les sens. Mais moi,

---

1. Aberration : chose insensée.
2. Fiel : malveillance.
3. De moins haute mine : qui a moins d'allure.

La Haine, chaque jour, me tuyaute et m'apprête
La fraise dont l'empois force à lever la tête[1] ;
Chaque ennemi de plus est un nouveau godron[2]
Qui m'ajoute une gêne, et m'ajoute un rayon :
Car, pareille en tous points à la fraise espagnole,
1040 La Haine est un carcan, mais c'est une auréole[3] !

LE BRET, *après un silence,*
passant son bras sous le sien.
Fais tout haut l'orgueilleux et l'amer, mais, tout bas,
Dis-moi tout simplement qu'elle ne t'aime pas !

CYRANO, *vivement.*
Tais-toi !

Depuis un moment, Christian est entré, s'est mêlé aux cadets ; ceux-ci ne lui adressent pas la parole ; il a fini par s'asseoir seul à une petite table, où Lise le sert.

Scène 9

CYRANO, LE BRET,
LES CADETS, CHRISTIAN DE NEUVILLETTE

UN CADET,
assis à une table du fond, le verre en main.
Hé ! Cyrano !

Cyrano se retourne.

---

1. **La Haine [...] me tuyaute et m'apprête / La fraise dont l'empois force à lever la tête** : la haine me fait un col rigide qui me force à garder tête haute.
2. **Godron** : pli qui orne le devant de la chemise.
3. **Carcan** : collier de fer ; **auréole** : disque lumineux que les peintres placent au-dessus de la tête des saints.

Le récit?

CYRANO

Tout à l'heure!

Il remonte au bras de Le Bret. Ils causent bas.

LE CADET,
se levant, et descendant.

1045 Le récit du combat! Ce sera la meilleure
Leçon

Il s'arrête devant la table où est Christian.

pour ce timide apprentif!

CHRISTIAN, *levant la tête.*
Apprentif?

UN AUTRE CADET

Oui, septentrional[1] maladif!

CHRISTIAN
Maladif?

PREMIER CADET, *goguenard.*
Monsieur de Neuvillette, apprenez quelque chose:
C'est qu'il est un objet, chez nous, dont on ne cause
1050 Pas plus que de cordon dans l'hôtel d'un pendu!

CHRISTIAN

Qu'est-ce?

UN AUTRE CADET, *d'une voix terrible.*
Regardez-moi!
Il pose trois fois, mystérieusement, son doigt sur son nez.
M'avez-vous entendu?

CHRISTIAN

Ah! c'est le…

---

1. **Septentrional** : qui vient du Nord.

UN AUTRE

Chut !… jamais ce mot ne se profère !
Il montre Cyrano qui cause au fond avec Le Bret.
Ou c'est à lui, là-bas, que l'on aurait affaire !

UN AUTRE, *qui, pendant*
qu'il était tourné vers les premiers, est venu
sans bruit s'asseoir sur la table, dans son dos.

Deux nasillards par lui furent exterminés
1055   Parce qu'il lui déplut qu'ils parlassent du nez !

UN AUTRE,
d'une voix caverneuse, surgissant
de sous la table où il s'est glissé à quatre pattes.

On ne peut faire, sans défuncter[1] avant l'âge,
La moindre allusion au fatal cartilage !

UN AUTRE, *lui posant la main sur l'épaule.*

Un mot suffit ! Que dis-je, un mot ? Un geste, un seul !
Et tirer son mouchoir, c'est tirer son linceul[2] !

Silence. Tous autour de lui, les bras croisés, le regardent. Il se lève et va à Carbon de Castel-Jaloux qui, causant avec un officier, a l'air de ne rien voir.

CHRISTIAN

1060   Capitaine !

CARBON,
se retournant et le toisant[3].
Monsieur ?

CHRISTIAN

Que fait-on quand on trouve
Des Méridionaux trop vantards ?…

---

1. Défuncter : mourir.
2. Linceul : linge dont on enveloppe le corps des morts.
3. Le toisant : lui jetant un regard méprisant.

CARBON

On leur prouve

Qu'on peut être du Nord, et courageux.

Il lui tourne le dos.

CHRISTIAN

Merci.

PREMIER CADET, *à Cyrano.*

Maintenant, ton récit !

TOUS

Son récit !

CYRANO, *redescendant vers eux.*

Mon récit ?…

*Tous rapprochent leurs escabeaux, se groupent autour de lui,
tendent le col. Christian s'est mis à cheval une chaise.*

Eh bien ! donc je marchais tout seul, à leur rencontre.

1065 La lune, dans le ciel, luisait comme une montre,

Quand soudain, je ne sais quel soigneux horloger

S'étant mis à passer un coton nuager

Sur le boîtier d'argent de cette montre ronde,

Il se fit une nuit la plus noire du monde,

1070 Et les quais n'étant pas du tout illuminés,

Mordious ! on n'y voyait pas plus loin…

CHRISTIAN

Que son nez.

*Silence. Tout le monde se lève lentement. On regarde Cyrano avec terreur.
Celui-ci s'est interrompu, stupéfait. Attente.*

CYRANO

Qu'est-ce que c'est que cet homme-là ?

UN CADET, *à mi-voix.*

C'est un homme

Arrivé ce matin.

> **CYRANO,** *faisant un pas vers Christian.*
> Ce matin ?

> > **CARBON,** *à mi-voix.*
> > Il se nomme

Le baron de Neuvil...

> > **CYRANO,** *vivement, s'arrêtant.*
> > Ah ! c'est bien...
> > > *Il pâlit, rougit, a encore un mouvement*
> > > *pour se jeter sur Christian.*
> > Je...
> > *Puis, il se domine, et dit d'une voix sourde.*
> > Très bien.
> > > *Il reprend.*

1075 Je disais donc...

> > > *Avec un éclat de rage dans la voix.*
> > Mordious !...
> > > *Il continue d'un ton naturel.*
> > que l'on n'y voyait rien.
> > *Stupeur. On se rassied en se regardant.*

Et je marchais, songeant que pour un gueux fort mince
J'allais mécontenter quelque grand, quelque prince,
Qui m'aurait sûrement...

> > **CHRISTIAN**
> > Dans le nez...

Tout le monde se lève. Christian se balance sur sa chaise.

> > **CYRANO,** *d'une voix étranglée.*
> > Une dent, –

Qui m'aurait une dent... et qu'en somme, imprudent,
1080 J'allais fourrer...

CHRISTIAN

Le nez…

CYRANO

Le doigt… entre l'écorce
Et l'arbre, car ce grand pouvait être de force
À me faire donner…

CHRISTIAN

Sur le nez…

CYRANO, *essuyant la sueur à son front.*

Sur les doigts.
– Mais j'ajoutai : Marche, Gascon, fais ce que dois !
Va, Cyrano ! Et ce disant, je me hasarde,
1085   Quand, dans l'ombre, quelqu'un me porte…

CHRISTIAN

Une nasarde[1].

CYRANO

Je la pare et soudain me trouve…

CHRISTIAN

Nez à nez…

CYRANO, *bondissant vers lui.*

Ventre-Saint-Gris !

*Tous les Gascons se précipitent pour voir ;
arrivé sur Christian, il se maîtrise et continue.*

avec cent braillards avinés
Qui puaient…

CHRISTIAN

À plein nez…

CYRANO, *blême et souriant.*

L'oignon et la litharge[2] !

_____

1. Nasarde : coup sur le nez.
2. Litharge : composé chimique de plomb, qu'on mêlait aux alcools pour les adoucir.

Je bondis, front baissé…

CHRISTIAN

Nez au vent!

CYRANO

et je charge!

1090 J'en estomaque deux! J'en empale un tout vif!
Quelqu'un m'ajuste: Paf! et je riposte…

CHRISTIAN

Pif!

CYRANO, *éclatant.*

Tonnerre! Sortez tous!

Tous les cadets se précipitent vers les portes.

PREMIER CADET

C'est le réveil du tigre!

CYRANO

Tous! Et laissez-moi seul avec cet homme!

DEUXIÈME CADET

Bigre!

On va le retrouver en hachis!

RAGUENEAU

En hachis?

UN AUTRE CADET

1095 Dans un de vos pâtés!

RAGUENEAU

Je sens que je blanchis,
Et que je m'amollis comme une serviette!

CARBON

Sortons!

Un autre

Il n'en va pas laisser une miette !

Un autre

Ce qui va se passer ici, j'en meurs d'effroi !

Un autre, *refermant la porte de droite.*

Quelque chose d'épouvantable !

Ils sont tous sortis, – soit par le fond, soit par les côtés, – quelques-uns ont disparu par l'escalier. Cyrano et Christian restent face à face, et se regardent un moment.

Scène 10

Cyrano, Christian

Cyrano

Embrasse-moi !

Christian

1100 Monsieur…

Cyrano

Brave.

Christian

Ah çà ! mais !…

Cyrano

Très brave. Je préfère.

Christian

Me direz-vous ?…

Cyrano

Embrasse-moi. Je suis son frère.

CHRISTIAN

De qui ?

CYRANO

Mais d'elle !

CHRISTIAN

Hein ?…

CYRANO

Mais de Roxane !

CHRISTIAN, *courant à lui.*

Ciel !

Vous, son frère ?

CYRANO

Ou tout comme : un cousin fraternel.

CHRISTIAN

Elle vous a ?…

CYRANO

Tout dit !

CHRISTIAN

M'aime-t-elle ?

CYRANO

Peut-être !

CHRISTIAN, *lui prenant les mains.*

1105   Comme je suis heureux, Monsieur, de vous connaître !

CYRANO

Voilà ce qui s'appelle un sentiment soudain.

CHRISTIAN

Pardonnez-moi…

CYRANO, *le regardant, et lui mettant la main sur l'épaule.*
C'est vrai qu'il est beau, le gredin !

CHRISTIAN
Si vous saviez, Monsieur, comme je vous admire !

CYRANO
Mais tous ces nez que vous m'avez…

CHRISTIAN
Je les retire !

CYRANO
1110 Roxane attend ce soir une lettre…

CHRISTIAN
Hélas !

CYRANO
Quoi !

CHRISTIAN
C'est me perdre que de cesser de rester coi[1] !

CYRANO
Comment ?

CHRISTIAN
Las ! je suis sot à m'en tuer de honte !

CYRANO
Mais non, tu ne l'es pas puisque tu t'en rends compte.
D'ailleurs, tu ne m'as pas attaqué comme un sot.

CHRISTIAN
1115 Bah ! on trouve des mots quand on monte à l'assaut !
Oui, j'ai certain esprit facile et militaire,
Mais je ne sais, devant les femmes, que me taire.
Oh ! leurs yeux, quand je passe, ont pour moi des bontés…

---

1. **Coi** : silencieux.

CYRANO

Leurs cœurs n'en ont-ils plus quand vous vous arrêtez ?

CHRISTIAN

1120 Non ! car je suis de ceux, – je le sais… et je tremble !
Qui ne savent parler d'amour.

CYRANO

Tiens !… Il me semble
Que si l'on eût pris soin de me mieux modeler,
J'aurais été de ceux qui savent en parler.

CHRISTIAN

Oh ! pouvoir exprimer les choses avec grâce !

CYRANO

1125 Être un joli petit mousquetaire qui passe !

CHRISTIAN

Roxane est précieuse et sûrement je vais
Désillusionner Roxane !

CYRANO, *regardant Christian.*

Si j'avais
Pour exprimer mon âme un pareil interprète !

CHRISTIAN, *avec désespoir.*

Il me faudrait de l'éloquence[1] !

CYRANO, *brusquement.*

Je t'en prête !
1130 Toi, du charme physique et vainqueur, prête-m'en :
Et faisons à nous deux un héros de roman !

CHRISTIAN

Quoi ?

_____

1. **Éloquence** : art de bien parler.

CYRANO

Te sens-tu de force à répéter les choses
Que chaque jour je t'apprendrai?...

CHRISTIAN

Tu me proposes?...

CYRANO

Roxane n'aura pas de désillusions!
1135 Dis, veux-tu que nous deux nous la séduisions?
Veux-tu sentir passer, de mon pourpoint de buffle
Dans ton pourpoint brodé, l'âme que je t'insuffle!...

CHRISTIAN

Mais, Cyrano!...

CYRANO

Christian, veux-tu?

CHRISTIAN

Tu me fais peur!

CYRANO

Puisque tu crains, tout seul, de refroidir son cœur,
1140 Veux-tu que nous fassions – et bientôt tu l'embrases[1]! –
Collaborer un peu tes lèvres et mes phrases?...

CHRISTIAN

Tes yeux brillent!...

CYRANO

Veux-tu?...

CHRISTIAN

Quoi! cela te ferait

Tant de plaisir?...

_____

1. Tu l'embrases : tu la rends enflammée d'amour.

CYRANO, *avec enivrement.*

Cela…

Se reprenant, et en artiste.

Cela m'amuserait !

C'est une expérience à tenter un poète.

1145 Veux-tu me compléter et que je te complète ?

Tu marcheras, j'irai dans l'ombre à ton côté :

Je serai ton esprit, tu seras ma beauté.

CHRISTIAN

Mais la lettre qu'il faut, au plus tôt, lui remettre !

Je ne pourrai jamais…

CYRANO, *sortant de son pourpoint la lettre qu'il a écrite.*

Tiens, la voilà, ta lettre !

CHRISTIAN

1150 Comment ?

CYRANO

Hormis l'adresse, il n'y manque plus rien.

CHRISTIAN

Je…

CYRANO

Tu peux l'envoyer. Sois tranquille. Elle est bien.

CHRISTIAN

Vous aviez ?…

CYRANO

Nous avons toujours, nous, dans nos poches,

Des épîtres[1] à des Chloris… de nos caboches[2],

Car nous sommes ceux-là qui pour amante n'ont

1155 Que du rêve soufflé dans la bulle d'un nom !…

Prends, et tu changeras en vérités ces feintes ;

---

1. Épîtres : lettres.
2. Des Chloris… de nos caboches : des femmes imaginaires.

Je lançais au hasard ces aveux et ces plaintes :
Tu verras se poser tous ces oiseaux errants.
Tu verras que je fus dans cette lettre – prends ! –
1160 D'autant plus éloquent que j'étais moins sincère !
– Prends donc, et finissons !

CHRISTIAN

              N'est-il pas nécessaire
De changer quelques mots ? Écrite en divaguant,
Ira-t-elle à Roxane ?

CYRANO

Elle ira comme un gant !

CHRISTIAN

Mais…

CYRANO

           La crédulité de l'amour-propre est telle,
1165 Que Roxane croira que c'est écrit pour elle !

CHRISTIAN

Ah ! mon ami !

        Il se jette dans les bras de Cyrano. Ils restent embrassés[1].

Scène 11

CYRANO, CHRISTIAN,
LES GASCONS, LE MOUSQUETAIRE, LISE

UN CADET, *entr'ouvrant la porte.*
Plus rien… Un silence de mort…

Je n'ose regarder…

---

1. **Embrassés** : se serrant dans les bras l'un de l'autre.

Il passe la tête.

Hein?

TOUS LES CADETS, *entrant*
et voyant Cyrano et Christian qui s'embrassent.
Ah!… Oh!…

UN CADET
C'est trop fort!

Consternation.

LE MOUSQUETAIRE, *goguenard.*
Ouais?…

CARBON
Notre démon est doux comme un apôtre[1]!
Quand sur une narine on le frappe, – il tend l'autre?

LE MOUSQUETAIRE
1170   On peut donc lui parler de son nez, maintenant?…

Appelant Lise, d'un air triomphant.
– Eh! Lise! Tu vas voir!

Humant l'air avec affectation.
Oh!… oh!… c'est surprenant!
Quelle odeur!

Allant à Cyrano, dont il regarde le nez avec impertinence.
Mais monsieur doit l'avoir reniflée?
Qu'est-ce que cela sent ici?…

CYRANO, *le souffletant[2].*
La giroflée[3]!

Joie. Les cadets ont retrouvé Cyrano: ils font des culbutes.

RIDEAU

---

1. Apôtre : nom donné aux douze disciples de Jésus-Christ.
2. Le souffletant : lui donnant un soufflet, c'est-à-dire une gifle.
3. Giroflée : plante dont les fleurs sentent le girofle; ici, gifle.

Un quiz pour commencer

Cochez les bonnes réponses.

❶ *Où l'action de l'acte II se déroule-t-elle ?*
- ☐ Dans le même lieu que le premier acte.
- ☐ Chez les cadets de Gascogne.
- ☐ Dans la pâtisserie de Ragueneau.

❷ *Quelle est la passion de Ragueneau ?*
- ☐ L'escrime.
- ☐ La cuisine.
- ☐ La poésie.

❸ *Dans la scène 1, pourquoi Ragueneau se dispute-t-il avec son épouse ?*
- ☐ Parce qu'elle a un amant.
- ☐ Parce qu'elle n'a aucun goût pour la poésie.
- ☐ Parce qu'elle n'aime pas Cyrano, que Ragueneau admire.

❹ *Pourquoi Roxane est-elle amoureuse de Christian ?*
- ❏ Il est intelligent.
- ❏ Il est valeureux soldat.
- ❏ Il est beau.

❺ *Qu'est-ce que Roxane attend de Cyrano ?*
- ❏ Qu'il protège Christian.
- ❏ Qu'il lui écrive à la place de Christian.
- ❏ Qu'il amène Christian à quitter les cadets.

❻ *Dans la scène 7, comment De Guiche réagit-il à la provocation de Cyrano ?*
- ❏ Il est irrité.
- ❏ Il est amusé.
- ❏ Il est indifférent.

❼ *Pourquoi Christian aimerait-il tant savoir déclarer son amour avec éloquence ?*
- ❏ Pour rivaliser avec Cyrano.
- ❏ Pour rivaliser avec De Guiche.
- ❏ Pour plaire à Roxane.

❽ *Quel pacte Cyrano et Christian concluent-ils ?*
- ❏ Christian séduira Roxane grâce aux mots de Cyrano.
- ❏ Cyrano séduira Roxane grâce aux mots de Christian.
- ❏ Aucun des deux n'essaiera de séduire Roxane.

Des questions pour aller plus loin

👉 Étudier la mise en place du triangle amoureux

Le quiproquo amoureux

❶ En vous appuyant sur les didascalies de la scène 3, montrez que Cyrano perd sa fierté et sa bravoure habituelles lorsqu'il s'agit de déclarer son amour à Roxane.

❷ Dans la scène 6 (v. 791-802, p. 103-104), lorsque Roxane avoue à Cyrano qu'elle aime quelqu'un, quels indices peuvent laisser croire à ce dernier qu'elle est amoureuse de lui ?

❸ Quelles sont les différentes émotions exprimées successivement par l'interjection « ah ! » répétée par Cyrano des vers 791 à 801 ?

❹ Dans la scène 6, quel mot révèle à Cyrano qu'il a été victime d'un quiproquo ? Ce malentendu vous paraît-il comique ou pathétique ?

❺ À la fin de la scène 6, pourquoi est-il cruel que Roxane s'applique à donner des preuves d'affection à Cyrano ?

Cyrano, un homme de parole

❻ Expliquez en quoi la promesse faite à Roxane durant la scène 6 révèle que Cyrano est un personnage hors du commun.

❼ Au vers 847, que veut dire Cyrano en affirmant « Oh ! J'ai fait mieux depuis » ? Pourquoi l'engagement qu'il a pris envers Roxane est-il cruel pour lui-même ?

❽ Dans la tirade de Cyrano (v. 966-999), quel type de phrase est le plus souvent employé ? Quelle expression répétée rythme cette tirade ?

❾ D'après les vers 970 à 999, définissez les obligations d'un écrivain soumis à un « protecteur puissant ». Pour quelles raisons Cyrano refuse-t-il une telle protection ?

🔟 À la fin de la scène 8, comment Le Bret explique-t-il le code de conduite sans concessions que s'inflige Cyrano ? Vous paraît-il avoir vu juste ?

Un pacte inattendu

⓫ En citant les didascalies (v. 1071-1092), analysez l'évolution des émotions de Cyrano face aux provocations de Christian dans la scène 9.

⓬ En vous appuyant sur la question précédente et sur les répliques des cadets à la fin de la scène 9, montrez que le début de la scène 10 produit un effet de surprise pour les spectateurs.

⓭ Relevez les phrases interrogatives par lesquelles Cyrano propose un pacte à Christian (v. 1135-1147).

⓮ Pour quelles raisons chacun des deux personnages accepte-t-il un tel marché ? Justifiez votre réponse en citant leurs paroles.

⓯ Dans la scène 10 (v. 1100-1115), relevez les répliques qui révèlent les sentiments que Christian et Cyrano éprouvent l'un à l'égard de l'autre.

Rappelez-vous !
L'intrigue de la pièce repose sur un triangle amoureux : deux personnes en aiment une troisième, qui de son côté n'en aime qu'une des deux. Dans le deuxième acte, le fonctionnement du triangle amoureux devient de plus en plus complexe : les deux rivaux, Christian et Cyrano, deviennent des alliés qui ont besoin l'un de l'autre.

De la lecture à l'écriture

Des mots pour mieux écrire

❶ *Complétez les phrases suivantes avec les mots qui conviennent et accordez-les si nécessaire:* principe, droiture, morale, fierté.

a. Comme les autres cadets de Gascogne, Cyrano se distingue d'abord par son extrême _____.
b. Il respecte également des _____ stricts.
c. En effet, sa conduite est dictée par une _____ personnelle qui exclut les actions basses et se fonde sur la _____.

❷ *Dans la tirade des « Non, merci!» (v. 975 à 995), Cyrano joue avec des expressions figurées. En voici quelques-unes, donnez-en la signification:*

– Courber l'échine. – Être dans les petits papiers de quelqu'un.
– Encenser quelqu'un. – Ménager la chèvre et le chou.

À vous d'écrire

❶ Comme Ragueneau, v. 711-729, imaginez une courte recette poétique!
Consigne. Votre poème culinaire sera composé de dix vers qui rimeront deux à deux. Pour vous aider, voici quelques rimes: coquille/vanille, farine/terrine, batteur/chaleur, fruit/cuit, délectable/table. Vous pouvez en trouver d'autres. Si l'exercice vous semble facile, respectez un nombre de syllabes fixe (écrivez par exemple des alexandrins).

❷ Après la dispute entre De Guiche et Cyrano (scène 7), imaginez que Le Bret poursuive De Guiche dans la rue afin de tenter d'excuser la conduite peu courtoise de Cyrano. Vous rédigerez un dialogue théâtral présentant cette conversation.

Consigne. Le Bret devra trouver au moins trois arguments excusant Cyrano. Employez des didascalies et un langage soutenu.

ACTE III

Le baiser de Roxane

Une petite place dans l'ancien Marais. Vieilles maisons. Perspectives de ruelles. À droite, la maison de Roxane et le mur de son jardin que débordent de larges feuillages. Au-dessus de la porte, fenêtre et balcon. Un banc devant le seuil.

Du lierre grimpe au mur, du jasmin enguirlande le balcon, frissonne et retombe.

Par le banc et les pierres en saillie du mur, on peut facilement grimper au balcon.

En face, une ancienne maison de même style, brique et pierre, avec une porte d'entrée. Le heurtoir de cette porte est emmailloté de linge comme un pouce malade.

Au lever du rideau, la duègne est assise sur le banc. La fenêtre est grande ouverte sur le balcon de Roxane.

Près de la duègne se tient debout Ragueneau, vêtu d'une sorte de livrée[1] : il termine un récit, en s'essuyant les yeux.

Scène 1

RAGUENEAU, LA DUÈGNE,
puis ROXANE, CYRANO *et* DEUX PAGES

RAGUENEAU

… Et puis, elle est partie avec un mousquetaire !
Seul, ruiné, je me pends. J'avais quitté la terre.
Monsieur de Bergerac entre, et, me dépendant,

1175

---

1. **Livrée** : uniforme.

Me vient à sa cousine offrir comme intendant[1].

LA DUÈGNE

Mais comment expliquer cette ruine où vous êtes ?

RAGUENEAU

Lise aimait les guerriers, et j'aimais les poètes !
1180 Mars[2] mangeait les gâteaux que laissait Apollon :
– Alors, vous comprenez, cela ne fut pas long !

LA DUÈGNE, se levant
et appelant vers la fenêtre ouverte.

Roxane, êtes-vous prête ?… On nous attend !

LA VOIX DE ROXANE, par la fenêtre.

Je passe

Une mante[3] !

LA DUÈGNE, à Ragueneau,
lui montrant la porte d'en face.

C'est là qu'on nous attend, en face.

Chez Clomire[4]. Elle tient bureau, dans son réduit.
1185 On y lit un discours sur le Tendre[5], aujourd'hui.

RAGUENEAU

Sur le Tendre ?

LA DUÈGNE, minaudant.

Mais oui !…

Criant vers la fenêtre.

Roxane, il faut descendre,

Ou nous allons manquer le discours sur le Tendre !

---

1. Intendant : personne chargée d'organiser la vie de la maison.
2. Mars : dans la mythologie romaine, dieu de la guerre.
3. Mante : cape de femme avec une capuche.
4. Clomire : précieuse qui reçoit des artistes chez elle.
5. Le Tendre : dans les romans précieux du XVIIe siècle, le pays de Tendre est un royaume imaginaire, dont la carte représente les étapes de toute relation amoureuse.

LA VOIX DE ROXANE
Je viens !

On entend un bruit d'instruments à cordes qui se rapproche.

LA VOIX DE CYRANO, *chantant dans la coulisse.*
La ! la ! la ! la !

LA DUÈGNE, *surprise.*
On nous joue un morceau ?

CYRANO, *suivi*
de deux pages porteurs de théorbes[1].
Je vous dis que la croche est triple, triple sot !

PREMIER PAGE, *ironique.*
1190 Vous savez donc, Monsieur, si les croches sont triples ?

CYRANO
Je suis musicien, comme tous les disciples
De Gassendi[2] !

LE PAGE, *jouant et chantant.*
La ! la !

CYRANO, *lui arrachant le théorbe*
et continuant la phrase musicale.
Je peux continuer !…
La ! la ! la ! la !

ROXANE, *paraissant sur le balcon.*
C'est vous ?

CYRANO, *chantant sur l'air qu'il continue.*
Moi qui viens saluer
Vos lys, et présenter mes respects à vos ro.....ses !

---

1. Théorbes : instruments à cordes.
2. Gassendi (1592-1655) : savant et philosophe, dont les travaux influencèrent le vrai
Cyrano de Bergerac.

ROXANE

1195   Je descends !

Elle quitte le balcon.

LA DUÈGNE, *montrant les pages.*
Qu'est-ce donc que ces deux virtuoses ?

CYRANO

C'est un pari que j'ai gagné sur d'Assoucy.
Nous discutions un point de grammaire. – Non ! – Si ! –
Quand soudain me montrant ces deux grands escogriffes[1]
Habiles à gratter les cordes de leurs griffes,
1200   Et dont il fait toujours son escorte, il me dit :
« Je te parie un jour de musique ! » Il perdit.
Jusqu'à ce que Phœbus recommence son orbe[2],
J'ai donc sur mes talons ces joueurs de théorbe,
De tout ce que je fais harmonieux témoins !…
1205   Ce fut d'abord charmant, et ce l'est déjà moins.

Aux musiciens.

Hep !… Allez de ma part jouer une pavane[3]
À Montfleury !

Les pages remontent pour sortir. – À la duègne.

Je viens demander à Roxane

Ainsi que chaque soir…

Aux pages qui sortent.

Jouez longtemps, – et faux !

À la duègne.

… Si l'ami de son âme est toujours sans défauts ?

ROXANE, *sortant de la maison.*

1210   Ah ! qu'il est beau, qu'il a d'esprit, et que je l'aime !

---

1. Escogriffes : hommes de grande taille.
2. Jusqu'à ce que Phœbus recommence son orbe : jusqu'à ce que le soleil se couche.
3. Pavane : nom d'une danse.

CYRANO, *souriant.*

Christian a tant d'esprit?…

ROXANE

Mon cher, plus que vous-même!

CYRANO

J'y consens.

ROXANE

Il ne peut exister à mon goût
Plus fin diseur de ces jolis riens qui sont tout.
Parfois il est distrait, ses Muses sont absentes;
1215　Puis, tout à coup, il dit des choses ravissantes!

CYRANO, *incrédule.*

Non?

ROXANE

C'est trop fort! Voilà comme les hommes sont:
Il n'aura pas d'esprit puisqu'il est beau garçon!

CYRANO

Il sait parler du cœur d'une façon experte?

ROXANE

Mais il n'en parle pas, Monsieur, il en disserte!

CYRANO

1220　Il écrit?

ROXANE

Mieux encor! Écoutez donc un peu:

Déclamant.

« *Plus tu me prends de cœur, plus j'en ai!…* »

Triomphante, à Cyrano.

Hé! bien?

CYRANO

Peuh!…

ROXANE

Et ceci : « *Pour souffrir, puisqu'il m'en faut un autre,*
Si vous gardez mon cœur, envoyez-moi le vôtre ! »

CYRANO

Tantôt il en a trop et tantôt pas assez.
1225 Qu'est-ce au juste qu'il veut, de cœur ?...

ROXANE, *frappant du pied.*

Vous m'agacez !

C'est la jalousie...

CYRANO, *tressaillant.*

Hein !...

ROXANE

... d'auteur qui vous dévore !

Et ceci, n'est-il pas du dernier tendre encore ?
« *Croyez que devers*[1] *vous mon cœur ne fait qu'un cri,*
Et que si les baisers s'envoyaient par écrit,
1230 *Madame, vous liriez ma lettre avec les lèvres !...* »

CYRANO, *souriant malgré lui de satisfaction.*

Ha ! ha ! ces lignes-là sont... hé ! hé !

Se reprenant et avec dédain.

mais bien mièvres !

ROXANE

Et ceci...

CYRANO, *ravi.*

Vous savez donc ses lettres par cœur ?

ROXANE

Toutes !

CYRANO, *frisant sa moustache.*

Il n'y a pas à dire : c'est flatteur !

---

1. **Devers** : vers.

ROXANE

C'est un maître !

CYRANO, *modeste.*

Oh !… un maître !…

ROXANE, *péremptoire[1].*

Un maître !…

CYRANO, *saluant.*

Soit !… un maître !

LA DUÈGNE, *qui était*
remontée, redescendant vivement.

1235 Monsieur de Guiche !

À Cyrano, le poussant vers la maison.

Entrez !… car il vaut mieux, peut-être,

Qu'il ne vous trouve pas ici ; cela pourrait
Le mettre sur la piste…

ROXANE, *à Cyrano.*

Oui, de mon cher secret !

Il m'aime, il est puissant, il ne faut pas qu'il sache !
Il peut dans mes amours donner un coup de hache !

CYRANO, *entrant dans la maison.*

1240 Bien ! bien ! bien !

De Guiche paraît.

---

1. Péremptoire : qui n'admet pas qu'on réplique.

Scène 2

ROXANE, DE GUICHE, LA DUÈGNE, *à l'écart.*

ROXANE, *à De Guiche, lui faisant une révérence.*
Je sortais.

DE GUICHE
Je viens prendre congé.

ROXANE
Vous partez?

DE GUICHE
Pour la guerre.

ROXANE
Ah!

DE GUICHE
Ce soir même.

ROXANE
Ah!

DE GUICHE
J'ai
Des ordres. On assiège Arras[1].

ROXANE
Ah!… on assiège?…

DE GUICHE
Oui… Mon départ a l'air de vous laisser de neige.

ROXANE, *poliment.*
Oh!…

---

1. En 1640, Louis XIII décide d'assiéger la ville d'Arras (Pas-de-Calais) pour la reprendre aux Espagnols.

DE GUICHE

Moi, je suis navré. Vous reverrai-je ?… Quand ?
1245   – Vous savez que je suis nommé mestre[1] de camp ?

ROXANE, *indifférente.*

Bravo.

DE GUICHE

Du régiment des gardes.

ROXANE, *saisie.*

Ah ? des gardes ?

DE GUICHE

Où sert votre cousin, l'homme aux phrases vantardes.
Je saurai me venger de lui, là-bas.

ROXANE, *suffoquée.*

Comment !

Les gardes vont là-bas ?

DE GUICHE, *riant.*

Tiens ! c'est mon régiment !

ROXANE, *tombant assise sur le banc,*
– à part.

1250   Christian !

DE GUICHE

Qu'avez-vous ?

ROXANE, *tout émue.*

Ce… départ… me désespère !
Quand on tient à quelqu'un, le savoir à la guerre !

DE GUICHE, *surpris et charmé.*

Pour la première fois me dire un mot si doux,
Le jour de mon départ !

---

1. Mestre : maître.

153

ROXANE, *changeant de ton et s'éventant.*
Alors, – vous allez vous
Venger de mon cousin ?…

DE GUICHE, *souriant.*
On est pour lui ?

ROXANE
Non, – contre !

DE GUICHE
1255 Vous le voyez ?

ROXANE
Très peu.

DE GUICHE
Partout on le rencontre
Avec un des cadets…

Il cherche le nom.

ce Neu… villen… viller…

ROXANE
Un grand ?

DE GUICHE
Blond.

ROXANE
Roux.

DE GUICHE
Beau !…

ROXANE
Peuh !

DE GUICHE
Mais bête.

ROXANE

Il en a l'air !

Changeant de ton.

… Votre vengeance envers Cyrano, – c'est peut-être
De l'exposer au feu, qu'il adore ?… Elle est piètre[1] !
1260 Je sais bien, moi, ce qui serait sanglant !

DE GUICHE

C'est ?…

ROXANE

Mais si le régiment, en partant, le laissait
Avec ses chers cadets, pendant toute la guerre,
À Paris, bras croisés !… C'est la seule manière,
Un homme comme lui, de le faire enrager :
1265 Vous voulez le punir ? privez-le de danger.

DE GUICHE

Une femme ! une femme ! il n'y a qu'une femme
Pour inventer ce tour !

ROXANE

Il se rongera l'âme,
Et ses amis les poings, de n'être pas au feu :
Et vous serez vengé !

DE GUICHE, *se rapprochant.*

Vous m'aimez donc un peu !

Elle sourit.

1270 Je veux voir dans ce fait d'épouser ma rancune
Une preuve d'amour, Roxane !…

ROXANE

C'en est une.

DE GUICHE, *montrant plusieurs plis cachetés.*

J'ai les ordres sur moi qui vont être transmis

1. **Elle est piètre** : c'est une maigre vengeance.

À chaque compagnie, à l'instant même, hormis…

Il en détache un.

Celui-ci ! C'est celui des cadets.

Il le met dans sa poche.

Je le garde.

Riant.

1275 Ah ! ah ! ah ! Cyrano !… Son humeur bataillarde !…
– Vous jouez donc des tours aux gens, vous ?…

ROXANE, *le regardant.*

Quelquefois.

DE GUICHE, *tout près d'elle.*

Vous m'affolez ! Ce soir – écoutez – oui, je dois
Être parti. Mais fuir quand je vous sens émue !…
Écoutez. Il y a, près d'ici, dans la rue
1280 D'Orléans, un couvent fondé par le syndic[1]
Des capucins[2], le Père Athanase. Un laïc[3]
N'y peut entrer. Mais les bons Pères, je m'en charge !…
Ils peuvent me cacher dans leur manche : elle est large.
– Ce sont les capucins qui servent Richelieu
1285 Chez lui ; redoutant l'oncle, ils craignent le neveu. –
On me croira parti. Je viendrai sous le masque.
Laissez-moi retarder d'un jour, chère fantasque !…

ROXANE, *vivement.*

Mais si cela s'apprend, votre gloire…

DE GUICHE

Bah !

ROXANE

Mais

Le siège, Arras…

---

1. Syndic : personne élue pour s'occuper des intérêts d'un groupe.
2. Capucins : religieux.
3. Laïc : personne qui n'appartient ni au clergé, ni à un ordre religieux.

DE GUICHE
Tant pis ! Permettez !

ROXANE
Non !

DE GUICHE
Permets !

ROXANE, *tendrement.*
1290 Je dois vous le défendre !

DE GUICHE
Ah !

ROXANE
Partez !

À part.

Christian reste.

Haut.

Je vous veux héroïque, – Antoine !

DE GUICHE
Mot céleste !
Vous aimez donc celui ?…

ROXANE
Pour lequel j'ai frémi.

DE GUICHE, *transporté de joie.*
Ah ! je pars !

Il lui baise la main.

Êtes-vous contente ?

ROXANE
Oui, mon ami !

Il sort.

LA DUÈGNE, *lui faisant*
dans le dos une révérence comique.

Oui, mon ami !

ROXANE, *à la duègne.*
Taisons ce que je viens de faire :
1295 Cyrano m'en voudrait de lui voler sa guerre !

Elle appelle vers la maison.

Cousin !

Scène 3

ROXANE, LA DUÈGNE, CYRANO

ROXANE

Nous allons chez Clomire.

Elle désigne la porte d'en face.
Alcandre y doit

Parler, et Lysimon !

LA DUÈGNE, *mettant*
son petit doigt dans son oreille.
Oui ! mais mon petit doigt

Dit qu'on va les manquer !

CYRANO, *à Roxane.*
Ne manquez pas ces singes.

Ils sont arrivés devant la porte de Clomire.

LA DUÈGNE, *avec ravissement.*
Oh ! voyez ! le heurtoir est entouré de linges !…

Au heurtoir.
1300 On vous a bâillonné pour que votre métal
Ne troublât pas les beaux discours, – petit brutal !

Elle le soulève avec des soins infinis et frappe doucement.

ROXANE, *voyant qu'on ouvre.*

Entrons!...

Du seuil, à Cyrano.

Si Christian vient, comme je le présume,
Qu'il m'attende!

CYRANO, *vivement,*
comme elle va disparaître.

Ah!...

Elle se retourne.

Sur quoi, selon votre coutume,
Comptez-vous aujourd'hui l'interroger!

ROXANE

Sur...

CYRANO, *vivement.*

Sur?

ROXANE

1305 Mais vous serez muet, là-dessus!

CYRANO

Comme un mur.

ROXANE

Sur rien!... Je vais lui dire: Allez! Partez sans bride!
Improvisez. Parlez d'amour. Soyez splendide!

CYRANO, *souriant.*

Bon.

ROXANE

Chut!...

CYRANO

Chut!...

ROXANE

Pas un mot!…

Elle rentre et referme la porte.

CYRANO, *la saluant,*
la porte une fois fermée.

En vous remerciant!

La porte se rouvre et Roxane passe la tête.

ROXANE

Il se préparerait!…

CYRANO

Diable, non!…

TOUS LES DEUX, *ensemble.*

Chut!…

La porte se ferme.

CYRANO, *appelant.*

Christian!

Scène 4

CYRANO, CHRISTIAN

CYRANO, *vite, à Christian.*

1310 Je sais tout ce qu'il faut. Prépare ta mémoire.
Voici l'occasion de se couvrir de gloire.
Ne perdons pas de temps. Ne prends pas l'air grognon.
Vite, rentrons chez toi, je vais t'apprendre…

CHRISTIAN

Non!

CYRANO

Hein ?

CHRISTIAN

Non ! J'attends Roxane ici.

CYRANO

De quel vertige
1315   Es-tu frappé ? Viens vite apprendre…

CHRISTIAN

Non, te dis-je !
Je suis las d'emprunter mes lettres, mes discours,
Et de jouer ce rôle, et de trembler toujours !…
C'était bon au début ! Mais je sens qu'elle m'aime !
Merci. Je n'ai plus peur. Je vais parler moi-même.

CYRANO

1320   Ouais !

CHRISTIAN

Et qui te dit que je ne saurai pas ?
Je ne suis pas si bête à la fin ! Tu verras !
Mais, mon cher, tes leçons m'ont été profitables.
Je saurai parler seul ! Et, de par tous les diables,
Je saurai bien toujours la prendre dans mes bras !…

Apercevant Roxane, qui ressort de chez Clomire.

1325   – C'est elle ! Cyrano, non, ne me quitte pas !

CYRANO, *le saluant.*

Parlez tout seul, Monsieur.

Il disparaît derrière le mur du jardin.

Scène 5

CHRISTIAN, ROXANE,
QUELQUES PRÉCIEUX ET PRÉCIEUSES, *et* LA DUÈGNE, *un instant.*

ROXANE, *sortant de la maison de Clomire*
avec une compagnie qu'elle quitte : révérences et saluts.
                    Barthénoïde ! – Alcandre ! –
Grémione !...

                    LA DUÈGNE, *désespérée.*
On a manqué le discours sur le Tendre !

                              Elle rentre chez Roxane.

                    ROXANE, *saluant encore.*
Urimédonte !... Adieu !...

Tous saluent Roxane, se resaluent entre eux, se séparent et s'éloignent
par différentes rues. Roxane voit Christian.
                    C'est vous !...

                                        Elle va à lui.

                    Le soir descend.
Attendez. Ils sont loin. L'air est doux. Nul passant.
1330 Asseyons-nous. Parlez. J'écoute.

                    CHRISTIAN *s'assied*
                près d'elle, sur le banc. Un silence.
                    Je vous aime.

                    ROXANE, *fermant les yeux.*
Oui, parlez-moi d'amour.

                    CHRISTIAN
                Je t'aime.

                    ROXANE
                    C'est le thème.

Brodez, brodez.

CHRISTIAN

Je vous…

ROXANE

Brodez !

CHRISTIAN

Je t'aime tant.

ROXANE

Sans doute. Et puis ?

CHRISTIAN

Et puis… je serais si content
Si vous m'aimiez ! – Dis-moi, Roxane, que tu m'aimes !

ROXANE, *avec une moue.*

1335 Vous m'offrez du brouet[1] quand j'espérais des crèmes !
Dites un peu comment vous m'aimez ?…

CHRISTIAN

Mais… beaucoup.

ROXANE

Oh !… Délabyrinthez vos sentiments !

CHRISTIAN, *qui s'est rapproché*
et dévore des yeux la nuque blonde.

Ton cou !

Je voudrais l'embrasser !…

ROXANE

Christian !

CHRISTIAN

Je t'aime !

_____

1. **Brouet** : mauvais potage.

ROXANE, *voulant se lever.*

Encore !

CHRISTIAN, *vivement, la retenant.*

Non ! je ne t'aime pas !

ROXANE, *se rasseyant.*
C'est heureux !

CHRISTIAN

Je t'adore !

ROXANE, *se levant et s'éloignant.*

1340 Oh !

CHRISTIAN

Oui… je deviens sot !

ROXANE, *sèchement.*
Et cela me déplaît !
Comme il me déplairait que vous devinssiez laid.

CHRISTIAN

Mais…

ROXANE
Allez rassembler votre éloquence en fuite !

CHRISTIAN

Je…

ROXANE
Vous m'aimez, je sais. Adieu.

Elle va vers la maison.

CHRISTIAN
Pas tout de suite !

Je vous dirai…

ROXANE, *poussant la porte pour entrer.*
Que vous m'adorez… oui, je sais.
1345 Non ! Non ! Allez-vous-en !

CHRISTIAN
Mais je…

Elle lui ferme la porte au nez.

CYRANO, *qui depuis*
un moment est rentré sans être vu.
C'est un succès.

Scène 6

CHRISTIAN, CYRANO, LES PAGES, *un instant.*

CHRISTIAN
Au secours !

CYRANO
Non monsieur.

CHRISTIAN
Je meurs si je ne rentre
En grâce, à l'instant même…

CYRANO
Et comment puis-je, diantre !
Vous faire à l'instant même, apprendre ?…

CHRISTIAN, *lui saisissant le bras.*
Oh ! là, tiens, vois !
La fenêtre du balcon s'est éclairée.

CYRANO, *ému.*

Sa fenêtre !

CHRISTIAN, *criant.*

Je vais mourir !

CYRANO

Baissez la voix !

CHRISTIAN, *tout bas.*

1350 Mourir !…

CYRANO

La nuit est noire…

CHRISTIAN

Eh ! bien ?

CYRANO

C'est réparable.
Vous ne méritez pas… Mets-toi là, misérable !
Là, devant le balcon ! Je me mettrai dessous…
Et je te soufflerai tes mots.

CHRISTIAN

Mais…

CYRANO

Taisez-vous !

LES PAGES, *reparaissant au fond, à Cyrano.*

Hep !

CYRANO

Chut !

Il leur fait signe de parler bas.

PREMIER PAGE, *à mi-voix.*

Nous venons de donner la sérénade

1355 À Montfleury !…

CYRANO, *bas, vite.*
Allez vous mettre en embuscade
L'un à ce coin de rue, et l'autre à celui-ci ;
Et si quelque passant gênant vient par ici,
Jouez un air !

DEUXIÈME PAGE
Quel air, monsieur le gassendiste[1] ?

CYRANO
Joyeux pour une femme, et pour un homme, triste !
Les pages disparaissent, un à chaque coin de rue. – À Christian.
1360   Appelle-la !

CHRISTIAN
Roxane !

CYRANO, *ramassant*
des cailloux qu'il jette dans les vitres.
Attends ! Quelques cailloux.

Scène 7

ROXANE, CHRISTIAN, CYRANO, *d'abord caché sous le balcon.*

ROXANE, *entr'ouvrant sa fenêtre.*
Qui donc m'appelle ?

CHRISTIAN
Moi.

ROXANE
Qui, moi ?

---

1. **Gassendiste** : disciple de Gassendi (voir v. 1192).

CHRISTIAN
Christian.

ROXANE, *avec dédain.*
C'est vous ?

CHRISTIAN
Je voudrais vous parler.

CYRANO, *sous le balcon, à Christian.*
Bien. Bien. Presque à voix basse.

ROXANE
Non ! Vous parlez trop mal. Allez-vous-en !

CHRISTIAN
De grâce !…

ROXANE
Non ! Vous ne m'aimez plus !

CHRISTIAN, *à qui Cyrano souffle ses mots.*
M'accuser, – justes dieux ! –
1365   De n'aimer plus… quand… j'aime plus !

ROXANE,
qui allait refermer sa fenêtre, s'arrêtant.
Tiens ! mais c'est mieux !

CHRISTIAN, *même jeu.*
L'amour grandit bercé dans mon âme inquiète…
Que ce… cruel marmot prit pour… barcelonnette[1] !

ROXANE, *s'avançant sur le balcon.*
C'est mieux ! – Mais, puisqu'il est cruel, vous fûtes sot
De ne pas, cet amour, l'étouffer au berceau !

CHRISTIAN, *même jeu.*
1370   Aussi l'ai-je tenté, mais… tentative nulle :

—————————

1. **Barcelonnette** : lit d'enfant suspendu et mobile, afin de le bercer.

Ce… nouveau-né, Madame, est un petit… Hercule[1].

ROXANE

C'est mieux !

CHRISTIAN, *même jeu.*
De sorte qu'il… strangula[2] comme rien…
Les deux serpents… Orgueil et… Doute.

ROXANE, *s'accoudant au balcon.*
Ah ! c'est très bien.
– Mais pourquoi parlez-vous de façon peu hâtive ?
1375 Auriez-vous donc la goutte à l'imaginative[3] ?

CYRANO, *tirant Christian*
sous le balcon, et se glissant a sa place.
Chut ! Cela devient trop difficile !…

ROXANE
Aujourd'hui…
Vos mots sont hésitants. Pourquoi ?

CYRANO,
parlant à mi-voix, comme Christian.
C'est qu'il fait nuit,
Dans cette ombre, à tâtons, ils cherchent votre oreille.

ROXANE
Les miens n'éprouvent pas difficulté pareille.

CYRANO
1380 Ils trouvent tout de suite ? oh ! cela va de soi,
Puisque c'est dans mon cœur, eux, que je les reçoi[4] ;
Or, moi, j'ai le cœur grand, vous, l'oreille petite.
D'ailleurs vos mots à vous, descendent : ils vont vite.

---

1. Un petit… Hercule : fort comme Hercule, héros de la mythologie grecque.
2. Strangula : étrangla.
3. La goutte à l'imaginative : l'imagination malade.
4. Reçoi : reçois (forme utilisée pour respecter la rime pour l'œil avec « soi »).

Les miens montent, Madame : il leur faut plus de temps !

ROXANE

1385 Mais ils montent bien mieux depuis quelques instants.

CYRANO

De cette gymnastique, ils ont pris l'habitude !

ROXANE

Je vous parle, en effet, d'une vraie altitude !

CYRANO

Certe, et vous me tueriez si de cette hauteur
Vous me laissiez tomber un mot dur sur le cœur !

ROXANE, *avec un mouvement.*

1390 Je descends.

CYRANO, *vivement.*

Non !

ROXANE, *lui montrant le banc qui est sous le balcon.*

Grimpez sur le banc, alors, vite !

CYRANO, *reculant avec effroi dans la nuit.*

Non !

ROXANE

Comment… non ?

CYRANO, *que l'émotion gagne de plus en plus.*

Laissez un peu que l'on profite…
De cette occasion qui s'offre… de pouvoir
Se parler doucement, sans se voir.

ROXANE

Sans se voir ?

CYRANO

Mais oui, c'est adorable. On se devine à peine.
1395 Vous voyez la noirceur d'un long manteau qui traîne,

J'aperçois la blancheur d'une robe d'été :
Moi je ne suis qu'une ombre, et vous qu'une clarté !
Vous ignorez pour moi ce que sont ces minutes !
Si quelquefois je fus éloquent…

ROXANE

Vous le fûtes !

CYRANO

1400   Mon langage jamais jusqu'ici n'est sorti
De mon vrai cœur…

ROXANE

Pourquoi ?

CYRANO

Parce que… jusqu'ici

Je parlais à travers…

ROXANE

Quoi ?

CYRANO

… le vertige où tremble

Quiconque est sous vos yeux !… Mais, ce soir, il me semble…
Que je vais vous parler pour la première fois !

ROXANE

1405   C'est vrai que vous avez une tout autre voix.

CYRANO, *se rapprochant avec fièvre*[1].

Oui, tout autre, car dans la nuit qui me protège
J'ose être enfin moi-même, et j'ose…

Il s'arrête et avec égarement.

Où en étais-je ?

Je ne sais… tout ceci, – pardonnez mon émoi, –
C'est si délicieux, … c'est si nouveau pour moi !

---

1. Avec fièvre : dans un état d'excitation.

ROXANE

1410 Si nouveau ?

CYRANO, *bouleversé,*
et essayant toujours de rattraper ses mots.

Si nouveau… mais oui… d'être sincère :
La peur d'être raillé[1], toujours au cœur me serre…

ROXANE

Raillé de quoi ?

CYRANO

Mais de… d'un élan !… Oui, mon cœur,
Toujours, de mon esprit s'habille, par pudeur :
Je pars pour décrocher l'étoile, et je m'arrête
1415 Par peur du ridicule, à cueillir la fleurette[2] !

ROXANE

La fleurette a du bon.

CYRANO

Ce soir, dédaignons-la !

ROXANE

Vous ne m'aviez jamais parlé comme cela !

CYRANO

Ah ! si loin des carquois, des torches et des flèches,
On se sauvait un peu vers des choses… plus fraîches !
1420 Au lieu de boire goutte à goutte, en un mignon
Dé à coudre d'or fin, l'eau fade du Lignon[3],
Si l'on tentait de voir comment l'âme s'abreuve
En buvant largement à même le grand fleuve !

ROXANE

Mais l'esprit ?…

---

1. Être raillé : être moqué.
2. Fleurette : propos galant, amoureux.
3. Lignon : nom d'une rivière dans *L'Astrée* d'Honoré d'Urfé (voir v. 818).

CYRANO

J'en ai fait pour vous faire rester

1425 D'abord, mais maintenant ce serait insulter
Cette nuit, ces parfums, cette heure, la Nature,
Que de parler comme un billet doux de Voiture[1] !
– Laissons, d'un seul regard de ses astres, le ciel
Nous désarmer de tout notre artificiel :

1430 Je crains tant que parmi notre alchimie[2] exquise
Le vrai du sentiment ne se volatilise,
Que l'âme ne se vide à ces passe-temps vains[3],
Et que le fin du fin ne soit la fin des fins !

ROXANE

Mais l'esprit ?…

CYRANO

Je le hais dans l'amour ! C'est un crime

1435 Lorsqu'on aime de trop prolonger cette escrime[4] !
Le moment vient d'ailleurs inévitablement,
– Et je plains ceux pour qui ne vient pas ce moment ! –
Où nous sentons qu'en nous un amour noble existe
Que chaque joli mot que nous disons rend triste !

ROXANE

1440 Eh bien ! si ce moment est venu pour nous deux,
Quels mots me direz-vous ?

CYRANO

Tous ceux, tous ceux, tous ceux

Qui me viendront, je vais vous les jeter, en touffe,
Sans les mettre en bouquet : je vous aime, j'étouffe,
Je t'aime, je suis fou, je n'en peux plus, c'est trop ;

---

1. Vincent Voiture (1597-1648) : poète précieux très en vogue au XVIIe siècle.
2. Alchimie : pratique ancienne qui visait à changer le plomb en or ; ici, manière dont les précieux travaillent le langage.
3. Vains : inutiles.
4. Cette escrime : Cyrano compare les jeux sur le langage aux jeux d'épée.

1445 Ton nom est dans mon cœur comme dans un grelot,
Et comme tout le temps, Roxane, je frissonne,
Tout le temps, le grelot s'agite, et le nom sonne !
De toi, je me souviens de tout, j'ai tout aimé :
Je sais que l'an dernier, un jour, le douze mai,
1450 Pour sortir le matin tu changeas de coiffure !
J'ai tellement pris pour clarté ta chevelure
Que comme lorsqu'on a trop fixé le soleil,
On voit sur toute chose ensuite un rond vermeil[1],
Sur tout, quand j'ai quitté les feux dont tu m'inondes,
1455 Mon regard ébloui pose des taches blondes !

       ROXANE, *d'une voix troublée.*
Oui, c'est bien de l'amour…

       CYRANO
          Certes, ce sentiment
Qui m'envahit, terrible et jaloux, c'est vraiment
De l'amour, il en a toute la fureur triste !
De l'amour, – et pourtant il n'est pas égoïste !
1460 Ah ! que pour ton bonheur je donnerais le mien,
Quand même tu devrais n'en savoir jamais rien,
S'il se pouvait, parfois, que de loin, j'entendisse
Rire un peu le bonheur né de mon sacrifice !
– Chaque regard de toi suscite une vertu
1465 Nouvelle, une vaillance en moi ! Commences-tu
À comprendre, à présent ? voyons, te rends-tu compte ?
Sens-tu mon âme, un peu, dans cette ombre, qui monte ?…
Oh ! mais vraiment, ce soir, c'est trop beau, c'est trop doux !
Je vous dis tout cela, vous m'écoutez, moi, vous !
1470 C'est trop ! Dans mon espoir même le moins modeste,
Je n'ai jamais espéré tant ! Il ne me reste
Qu'à mourir maintenant ! C'est à cause des mots
Que je dis qu'elle tremble entre les bleus rameaux !

---

1. **Vermeil** : rouge brillant.

Car vous tremblez, comme une feuille entre les feuilles !
1475 Car tu trembles ! car j'ai senti, que tu le veuilles
Ou non, le tremblement adoré de ta main
Descendre tout le long des branches du jasmin !

Il baise éperdument l'extrémité d'une branche pendante.

ROXANE

Oui, je tremble, et je pleure, et je t'aime, et suis tienne !
Et tu m'as enivrée !

CYRANO

Alors, que la mort vienne !
1480 Cette ivresse, c'est moi, moi, qui l'ai su causer !
Je ne demande plus qu'une chose…

CHRISTIAN, *sous le balcon.*
Un baiser !

ROXANE, *se rejetant en arrière.*

Hein ?

CYRANO

Oh !

ROXANE

Vous demandez ?

CYRANO
Oui… je…

À *Christian, bas.*

Tu vas trop vite.

CHRISTIAN

Puisqu'elle est si troublée, il faut que j'en profite !

CYRANO, *à Roxane.*

Oui, je… j'ai demandé, c'est vrai… mais justes cieux !
1485 Je comprends que je fus bien trop audacieux.

ROXANE, *un peu déçue.*

Vous n'insistez pas plus que cela ?

CYRANO

Si ! j'insiste…

Sans insister !… Oui, oui ! votre pudeur s'attriste !
Eh bien ! mais, ce baiser… ne me l'accordez pas !

CHRISTIAN, *à Cyrano,*
le tirant par son manteau.

Pourquoi ?

CYRANO

Tais-toi, Christian !

ROXANE, *se penchant.*

Que dites-vous tout bas ?

CYRANO

1490 Mais d'être allé trop loin, moi-même je me gronde ;
Je me disais : tais-toi, Christian !…

Les théorbes se mettent à jouer.

Une seconde !…

On vient !

Roxane referme la fenêtre. Cyrano écoute les théorbes, dont l'un joue un air folâtre et l'autre un air lugubre.

Air triste ? Air gai ?… Quel est donc leur dessein ?
Est-ce un homme ? Une femme ? – Ah ! c'est un capucin !

Entre un capucin qui va de maison en maison,
une lanterne à la main, regardant les portes.

Scène 8

CYRANO, CHRISTIAN, UN CAPUCIN

CYRANO, *au capucin.*
Quel est ce jeu renouvelé de Diogène[1]?

LE CAPUCIN
1495 Je cherche la maison de madame…

CHRISTIAN
Il nous gêne!

LE CAPUCIN
Magdeleine Robin…

CHRISTIAN
Que veut-il?…

CYRANO, *lui montrant une rue montante.*
Par ici!
Tout droit, – toujours tout droit…

LE CAPUCIN
Je vais pour vous! – merci:
Dire mon chapelet jusqu'au grain majuscule.

Il sort.

CYRANO
Bonne chance! Mes vœux suivent votre cuculle[2]!

Il redescend vers Christian.

---

1. Diogène (IVe siècle av. J.-C.): philosophe grec qui portait une lanterne en plein jour, d'où le parallèle avec le capucin.
2. Cuculle: capuche de l'habit de moine.

Scène 9
CYRANO, CHRISTIAN

CHRISTIAN

1500 Obtiens-moi ce baiser!…

CYRANO
Non!

CHRISTIAN
Tôt ou tard…

CYRANO
C'est vrai

Il viendra, ce moment de vertige enivré
Où vos bouches iront l'une vers l'autre, à cause
De ta moustache blonde et de sa lèvre rose!

À lui-même.

J'aime mieux que ce soit à cause de…

Bruit des volets qui se rouvrent, Christian se cache sous le balcon.

Scène 10
CYRANO, CHRISTIAN, ROXANE

ROXANE, *s'avançant sur le balcon.*
C'est vous?

1505 Nous parlions de… de… d'un…

CYRANO
Baiser. Le mot est doux.

Je ne vois pas pourquoi votre lèvre ne l'ose;

S'il la brûle déjà, que sera-ce la chose?
Ne vous en faites pas un épouvantement:
N'avez-vous pas tantôt, presque insensiblement,
1510 Quitté le badinage[1] et glissé sans alarmes
Du sourire au soupir, et du soupir aux larmes!
Glissez encore un peu d'insensible façon:
Des larmes au baiser il n'y a qu'un frisson!

ROXANE

Taisez-vous!

CYRANO

Un baiser, mais à tout prendre, qu'est-ce?
1515 Un serment fait d'un peu plus près, une promesse
Plus précise, un aveu qui veut se confirmer,
Un point rose qu'on met sur l'i du verbe aimer;
C'est un secret qui prend la bouche pour oreille,
Un instant d'infini qui fait un bruit d'abeille,
1520 Une communion ayant un goût de fleur,
Une façon d'un peu se respirer le cœur,
Et d'un peu se goûter, au bord des lèvres, l'âme!

ROXANE

Taisez-vous!

CYRANO

Un baiser, c'est si noble, Madame,
Que la reine de France, au plus heureux des lords[2],
1525 En a laissé prendre un, la reine même!

ROXANE

Alors!

---

1. Badinage : manière de plaisanter, d'agir sans sérieux.
2. Lords : nobles anglais.

CYRANO, *s'exaltant[1].*

J'eus comme Buckingham[2] des souffrances muettes,
J'adore comme lui la reine que vous êtes,
Comme lui je suis triste et fidèle…

ROXANE

Et tu es

Beau comme lui !

CYRANO, *à part, dégrisé.*

C'est vrai, je suis beau, j'oubliais !

ROXANE

1530   Eh bien ! montez cueillir cette fleur sans pareille…

CYRANO, *poussant Christian vers le balcon.*

Monte !

ROXANE

Ce goût de cœur…

CYRANO

Monte !

ROXANE

Ce bruit d'abeille…

CYRANO

Monte !

CHRISTIAN, *hésitant.*

Mais il me semble, à présent, que c'est mal !

ROXANE

Cet instant d'infini !…

---

1. S'exaltant : devenant de plus en plus enthousiaste.
2. Buckingham : aristocrate anglais qui s'était épris de la reine Anne d'Autriche, épouse de Louis XIII.

CYRANO, *le poussant.*

Monte donc, animal !

Christian s'élance, et par le banc, le feuillage,
les piliers, atteint les balustres qu'il enjambe.

CHRISTIAN

Ah ! Roxane !...

Il l'enlace et se penche sur ses lèvres.

CYRANO

Aïe ! au cœur, quel pincement bizarre !
1535 – Baiser, festin d'amour dont je suis le Lazare[1] !
Il me vient dans cette ombre une miette de toi, –
Mais oui, je sens un peu mon cœur qui te reçoit.
Puisque sur cette lèvre où Roxane se leurre[2]
Elle baise les mots que j'ai dits tout à l'heure !

On entend les théorbes.

1540 Un air triste, un air gai : le capucin !

Il feint de courir comme s'il arrivait de loin, et d'une voix claire.

Holà !

ROXANE

Qu'est-ce ?

CYRANO

Moi. Je passais... Christian est encor là ?

CHRISTIAN, *très étonné.*

Tiens, Cyrano !

ROXANE

Bonjour, cousin !

---

1. Lazare : dans le Nouveau Testament, Lazare est un pauvre qui se nourrit des miettes
tombées de la table des riches.
2. Se leurre : se trompe.

CYRANO
Bonjour, cousine !

ROXANE
Je descends !

Elle disparaît dans la maison. Au fond rentre le capucin.

CHRISTIAN, *l'apercevant.*
Oh ! encor !

Il suit Roxane.

Scène 11

CYRANO, CHRISTIAN,
ROXANE, LE CAPUCIN, RAGUENEAU

LE CAPUCIN
C'est ici, – je m'obstine
Magdeleine Robin !

CYRANO
Vous aviez dit : Ro-lin.

LE CAPUCIN
1545   Non : Bin. B, i, n, bin !

ROXANE, *paraissant sur le seuil de la maison,*
suivie de Ragueneau qui porte une lanterne, et de Christian.
Qu'est-ce ?

LE CAPUCIN
Une lettre.

CHRISTIAN
Hein ?

LE CAPUCIN, *à Roxane.*

Oh ! il ne peut s'agir que d'une sainte chose !
C'est un digne seigneur qui…

ROXANE, *à Christian.*
C'est De Guiche !

CHRISTIAN

Il ose ?…

ROXANE

Oh ! mais il ne va pas m'importuner toujours !

Décachetant la lettre.

Je t'aime, et si…

*À la lueur de la lanterne de Ragueneau,
elle lit, à l'écart, à voix basse.*

« Mademoiselle,
Les tambours
1550 Battent ; mon régiment boucle sa soubreveste[1] ;
Il part ; moi, l'on me croit déjà parti : je reste.
Je vous désobéis. Je suis dans ce couvent.
Je vais venir, et vous le mande[2] auparavant
Par un religieux simple comme une chèvre
1555 Qui ne peut rien comprendre à ceci. Votre lèvre
M'a trop souri tantôt : j'ai voulu la revoir.
Éloignez un chacun, et daignez recevoir
L'audacieux déjà pardonné, j'espère,
Qui signe votre très… et cætera… »

Au capucin.
Mon Père,
1560 Voici ce que me dit cette lettre. Écoutez.

Tous se rapprochent, elle lit à haute voix.

« Mademoiselle,
Il faut souscrire aux volontés

_____

1. Soubreveste : veste militaire sans manches qu'on mettait par-dessus la cuirasse.
2. Vous le mande : vous le fais savoir.

Du cardinal, si dur que cela vous puisse être.
C'est la raison pourquoi j'ai fait choix, pour remettre
Ces lignes en vos mains charmantes, d'un très saint,
1565 *D'un très intelligent et discret capucin ;*
Nous voulons qu'il vous donne, et dans votre demeure,
La bénédiction

                                 Elle tourne la page.

         nuptiale sur l'heure.
Christian doit en secret devenir votre époux ;
Je vous l'envoie. Il vous déplaît. Résignez-vous.
1570 *Songez bien que le ciel bénira votre zèle,*
Et tenez pour tout assuré, Mademoiselle,
Le respect de celui qui fut et qui sera
Toujours votre très humble et très… et cætera. »

           LE CAPUCIN, *rayonnant.*
Digne seigneur !… Je l'avais dit. J'étais sans crainte !
1575 Il ne pouvait s'agir que d'une chose sainte !

           ROXANE, *bas à Christian.*
N'est-ce pas que je lis très bien les lettres ?

           CHRISTIAN
                Hum !

           ROXANE, *haut, avec désespoir.*
Ah !… c'est affreux !

           LE CAPUCIN, *qui a dirigé*
       sur Cyrano la clarté de sa lanterne.
           C'est vous ?

           CHRISTIAN
           C'est moi !

           LE CAPUCIN, *tournant la lumière vers lui,*
  et, comme si un doute lui venait, en voyant sa beauté.
           Mais…

ROXANE, *vivement.*

Post-scriptum :

« *Donnez pour le couvent cent vingt pistoles[1].* »

LE CAPUCIN

Digne,

Digne seigneur !

À Roxane.

Résignez-vous !

ROXANE, *en martyre[2].*

Je me résigne !

Pendant que Ragueneau ouvre la porte au capucin que Christian invite à entrer, elle dit bas à Cyrano :

1580 Vous, retenez ici De Guiche ! Il va venir !
Qu'il n'entre pas tant que…

CYRANO

Compris !

Au capucin.

Pour les bénir

Il vous faut ?…

LE CAPUCIN

Un quart d'heure.

CYRANO, *les poussant tous vers la maison.*

Allez ! moi, je demeure !

ROXANE, *à Christian.*

Viens !…

Ils entrent.

---

1. Pistoles : monnaie de l'époque.
2. En martyre : en personne qui se sacrifie.

Scène 12
CYRANO, *seul.*

CYRANO
Comment faire perdre à De Guiche un quart d'heure ?

Il se précipite sur le banc, grimpe au mur, vers le balcon.

1585 Là !… Grimpons !… J'ai mon plan !…

Les théorbes se mettent à jouer une phrase lugubre.

Ho ! c'est un homme !

Le trémolo[1] devient sinistre.

Ho ! Ho !

Cette fois, c'en est un !…

Il est sur le balcon, il rabaisse son feutre sur ses yeux, ôte son épée, se drape dans sa cape, puis se penche et regarde au-dehors.

Non, ce n'est pas trop haut !…

Il enjambe les balustres et attirant à lui la longue branche d'un des arbres qui débordent le mur du jardin, il s'y accroche des deux mains, prêt à se laisser tomber.

Je vais légèrement troubler cette atmosphère !…

Scène 13
CYRANO, DE GUICHE

DE GUICHE, *qui entre,*
masqué, tâtonnant dans la nuit.
Qu'est-ce que ce maudit capucin peut bien faire ?

---

1. **Trémolo** : répétition rapide d'une ou plusieurs notes.

CYRANO

Diable ! et ma voix ?… S'il la reconnaissait ?

    Lâchant d'une main, il a l'air de tourner une invisible clef.

               Cric ! crac !

               Solennellement.

1590 Cyrano, reprenez l'accent de Bergerac !…

DE GUICHE, *regardant la maison.*

Oui, c'est là. J'y vois mal. Ce masque m'importune !

Il va pour entrer, Cyrano saute du balcon en se tenant à la branche, qui plie, et le dépose entre la porte et De Guiche ; il feint de tomber lourdement, comme si c'était de très haut, et s'aplatit par terre, où il reste immobile, comme étourdi. De Guiche fait un bond en arrière.

Hein ? quoi ?

    Quand il lève les yeux, la branche s'est redressée ;
        il ne voit que le ciel ; il ne comprend pas.

    D'où tombe donc cet homme ?

      CYRANO, *se mettant sur son séant[1],*
      et avec l'accent de Gascogne.

               De la lune[2] !

DE GUICHE

De la ?…

CYRANO

    Quelle heure est-il ?

DE GUICHE

        N'a-t-il plus sa raison ?

CYRANO

Quelle heure ? Quel pays ? Quel jour ? Quelle saison ?

---

1. Se mettant sur son séant : s'asseyant.
2. Le vrai Cyrano est l'auteur d'un roman considéré comme une des premières œuvres de science-fiction, *L'Autre Monde* (1650), qui relate un voyage imaginaire sur la lune et l'observation des habitants qui la peuplent.

DE GUICHE

1595 Mais…

CYRANO

Je suis étourdi !

DE GUICHE

Monsieur…

CYRANO

Comme une bombe

Je tombe de la lune !

DE GUICHE, *impatienté*.

Ah çà ! Monsieur !

CYRANO, *se relevant, d'une voix terrible*.

J'en tombe !

DE GUICHE, *reculant*.

Soit ! soit ! vous en tombez !… c'est peut-être un dément[1] !

CYRANO, *marchant sur lui*.

Et je n'en tombe pas métaphoriquement !…

DE GUICHE

Mais…

CYRANO

Il y a cent ans, ou bien une minute,
1600 – J'ignore tout à fait ce que dura ma chute ! –
J'étais dans cette boule à couleur de safran !

DE GUICHE, *haussant les épaules*.

Oui. Laissez-moi passer !

CYRANO, *s'interposant*.

Où suis-je ? soyez franc !

Ne me déguisez rien ! En quel lieu, dans quel site,

---

1. **Un dément** : un fou.

Viens-je de choir, Monsieur, comme un aérolithe[1] ?

DE GUICHE

1605 Morbleu !

CYRANO

Tout en cheyant[2] je n'ai pu faire choix
De mon point d'arrivée, – et j'ignore où je chois !
Est-ce dans une lune ou bien dans une terre,
Que vient de m'entraîner le poids de mon postère[3] ?

DE GUICHE

Mais je vous dis, Monsieur…

CYRANO, *avec un cri*
de terreur qui fait reculer de Guiche.

Ha ! grand Dieu !… je crois voir
1610 Qu'on a dans ce pays le visage tout noir !

DE GUICHE, *portant la main à son visage.*

Comment ?

CYRANO, *avec une peur emphatique.*

Suis-je en Alger ? Êtes-vous indigène ?…

DE GUICHE, *qui a senti son masque.*

Ce masque !…

CYRANO, *feignant de se rassurer un peu.*

Je suis donc dans Venise, ou dans Gêne ?

DE GUICHE, *voulant passer.*

Une dame m'attend !…

CYRANO, *complètement rassuré.*

Je suis donc à Paris.

---

1. **Choir […] comme un aérolithe** : tomber du ciel comme un météore.
2. **Cheyant** : participe présent de « choir » (tomber).
3. **Postère** : fesses, derrière.

De **G**uiche, *souriant malgré lui.*

Le drôle[1] est assez drôle !

Cyrano

Ah ! vous riez ?

De **G**uiche

Je ris,

1615 Mais veux passer !

Cyrano, *rayonnant.*

C'est à Paris que je retombe !

Tout à fait à son aise, riant, s'époussetant, saluant.

J'arrive – excusez-moi ! – par la dernière trombe[2].
Je suis un peu couvert d'éther[3]. J'ai voyagé !
J'ai les yeux tout remplis de poudre d'astres. J'ai
Aux éperons, encor, quelques poils de planète !

Cueillant quelque chose sur sa manche.

1620 Tenez, sur mon pourpoint, un cheveu de comète !…

Il souffle comme pour le faire envoler.

De **G**uiche, *hors de lui.*

Monsieur !…

Cyrano, *au moment où il va passer,*
tend sa jambe comme pour y montrer quelque chose et l'arrête.

Dans mon mollet je rapporte une dent
De la Grande Ourse, – et comme, en frôlant le Trident,
Je voulais éviter une de ses trois lances,
Je suis allé tomber assis dans les Balances, –
1625 Dont l'aiguille, à présent, là-haut, marque mon poids !

Empêchant vivement de Guiche de passer
et le prenant à un bouton du pourpoint.

---

1. Le drôle : personne au comportement bizarre.
2. Trombe : colonne d'eau due à un ouragan.
3. Éther : liquide dont les physiciens de l'époque pensaient qu'il remplissait l'espace.

Si vous serriez mon nez, Monsieur, entre vos doigts,
Il jaillirait du lait !

DE GUICHE

Hein ? du lait ?…

CYRANO

De la Voie

Lactée !…

DE GUICHE

Oh ! par l'enfer !

CYRANO

C'est le ciel qui m'envoie !

Se croisant les bras.

Non ! Croiriez-vous, je viens de le voir en tombant,

1630 Que Sirius, la nuit, s'affuble d'un turban ?

Confidentiel.

L'autre Ourse est trop petite encor pour qu'elle morde.

Riant.

J'ai traversé la Lyre[1] en cassant une corde !

Superbe.

Mais je compte en un livre écrire tout ceci,
Et les étoiles d'or qu'en mon manteau roussi

1635 Je viens de rapporter à mes périls et risques,
Quand on l'imprimera, serviront d'astérisques !

DE GUICHE

À la parfin[2], je veux…

CYRANO

Vous, je vous vois venir !

---

1. **Grande Ourse, Trident, Balances, Lyre** : noms de constellations ; **Sirius** : nom d'une étoile.
2. **À la parfin** : à la toute fin.

DE GUICHE

Monsieur!

CYRANO

Vous voudriez de ma bouche tenir
Comment la lune est faite, et si quelqu'un habite
1640   Dans la rotondité de cette cucurbite[1]?

DE GUICHE, *criant.*

Mais non! Je veux…

CYRANO

Savoir comment j'y suis monté?
Ce fut par un moyen que j'avais inventé.

DE GUICHE, *découragé.*

C'est un fou!

CYRANO, *dédaigneux.*

Je n'ai pas refait l'aigle stupide
De Regiomontanus[2], ni le pigeon timide
1645   D'Archytas[3]!…

DE GUICHE

C'est un fou, – mais c'est un fou savant.

CYRANO

Non, je n'imitai rien de ce qu'on fit avant!

De Guiche a réussi à passer et il marche vers la porte de Roxane. Cyrano le suit, prêt à l'empoigner.

J'inventai six moyens de violer l'azur vierge!

DE GUICHE, *se retournant.*

Six?

---

1. **Cucurbite** : courge.
2. **Regiomontanus** (XVe siècle) : astronome allemand.
3. **Archytas** (Ve-IVe siècles av. J.-C.) : astronome grec.

CYRANO, *avec volubilité*[1].

Je pouvais, mettant mon corps nu comme un cierge,
Le caparaçonner[2] de fioles de cristal
1650 Toutes pleines des pleurs d'un ciel matutinal[3],
Et ma personne, alors, au soleil exposée,
L'astre l'aurait humée en humant la rosée !

DE GUICHE, *surpris*
et faisant un pas vers Cyrano.

Tiens ! Oui, cela fait un !

CYRANO, *reculant pour l'entraîner de l'autre côté.*

Et je pouvais encor
Faire engouffrer du vent, pour prendre mon essor,
1655 En raréfiant l'air dans un coffre de cèdre
Par des miroirs ardents, mis en icosaèdre[4] !

DE GUICHE, *fait encore un pas.*

Deux !

CYRANO, *reculant toujours.*

Ou bien, machiniste autant qu'artificier,
Sur une sauterelle aux détentes d'acier,
Me faire, par des feux successifs de salpêtre[5],
1660 Lancer dans les prés bleus où les astres vont paître !

DE GUICHE, *le suivant,*
sans s'en douter, et comptant sur ses doigts.

Trois !

CYRANO

Puisque la fumée a tendance à monter,
En souffler dans un globe assez pour m'emporter !

---

1. Avec volubilité : en parlant beaucoup et rapidement.
2. Caparaçonner : harnacher.
3. Matutinal : du matin.
4. Icosaèdre : volume à vingt faces.
5. Salpêtre : poudre explosive.

DE GUICHE, *même jeu,*
de plus en plus étonné.

Quatre !

CYRANO

Puisque Phœbé, quand son arc est le moindre[1],
Aime sucer, ô bœufs, votre moelle… m'en oindre[2] !

DE GUICHE, *stupéfait.*

1665 Cinq !

CYRANO, *qui en parlant l'a amené*
jusqu'à l'autre côté de la place près d'un banc.

Enfin, me plaçant sur un plateau de fer,
Prendre un morceau d'aimant et le lancer en l'air !
Ça, c'est un bon moyen : le fer se précipite,
Aussitôt que l'aimant s'envole, à sa poursuite ;
On relance l'aimant bien vite, et cadédis[3] !
1670 On peut monter ainsi indéfiniment.

DE GUICHE

Six !

– Mais voilà six moyens excellents !… Quel système
Choisîtes-vous des six, Monsieur ?

CYRANO

Un septième !

DE GUICHE

Par exemple ! Et lequel ?

CYRANO

Je vous le donne en cent !…

DE GUICHE

C'est que ce mâtin-là devient intéressant !

---

1. Phœbé, quand son arc est le moindre : la Lune, quand son croissant est le plus petit.
2. M'en oindre : m'en badigeonner.
3. Cadédis : juron gascon.

CYRANO, *faisant le bruit des vagues*
avec de grands gestes mystérieux.

1675 Houüh ! houüh !

DE GUICHE

Eh bien !

CYRANO

Vous devinez ?

DE GUICHE

Non !

CYRANO

La marée !…
À l'heure où l'onde par la lune est attirée,
Je me mis sur le sable – après un bain de mer –
Et la tête partant la première, mon cher,
Car les cheveux, surtout, gardent l'eau dans leur frange ! –
1680 Je m'enlevai dans l'air, droit, tout droit, comme un ange.
Je montais, je montais doucement, sans efforts,
Quand je sentis un choc !… Alors…

DE GUICHE, *entraîné*
par la curiosité et s'asseyant sur le banc.
Alors ?

CYRANO

Alors…
Reprenant sa voix naturelle.
Le quart d'heure est passé, Monsieur, je vous délivre :
Le mariage est fait.

DE GUICHE, *se relevant d'un bond.*
Çà, voyons, je suis ivre !…
1685 Cette voix ?

La porte de la maison s'ouvre, des laquais paraissent portant des candélabres allumés. Lumière. Cyrano ôte son chapeau au bord abaissé.

Et ce nez!… Cyrano?

CYRANO, *saluant.*

Cyrano.

Ils viennent à l'instant d'échanger leur anneau.

DE GUICHE

Qui cela?

Il se retourne. – Tableau. Derrière les laquais, Roxane et Christian se tiennent par la main. Le capucin les suit en souriant. Rageneau élève aussi un flambeau. La duègne ferme la marche, ahurie, en petit saut-de-lit[1].

Ciel!

Scène 14

LES MÊMES, ROXANE, CHRISTIAN, LE CAPUCIN, RAGUENEAU, LAQUAIS, LA DUÈGNE

DE GUICHE, *à Roxane.*

Vous!

Reconnaissant Christian avec stupeur.

Lui?

Saluant Roxane avec admiration.

Vous êtes des plus fines[2]!

À Cyrano.

Mes compliments, Monsieur l'inventeur de machines:
Votre récit eût fait s'arrêter au portail
1690 Du paradis, un saint! Notez-en le détail,
Car vraiment cela peut resservir dans un livre!

----

1. **Saut-de-lit** : peignoir.
2. **Fines** : rusées, malines.

CYRANO, *s'inclinant.*

Monsieur, c'est un conseil que je m'engage à suivre.

LE CAPUCIN, *montrant les amants à De Guiche
et hochant avec satisfaction sa grande barbe blanche.*

Un beau couple, mon fils, réuni là par vous !

DE GUICHE, *le regardant d'un œil glacé.*

Oui.

À Roxane.

Veuillez dire adieu, Madame, à votre époux.

ROXANE

1695 Comment ?

DE GUICHE, *à Christian.*

Le régiment déjà se met en route.

Joignez-le !

ROXANE

Pour aller à la guerre ?

DE GUICHE

Sans doute !

ROXANE

Mais, Monsieur, les cadets n'y vont pas !

DE GUICHE

Ils iront.

Tirant le papier qu'il avait mis dans sa poche.

Voici l'ordre.

À Christian.

Courez le porter, vous, baron.

ROXANE, *se jetant
dans les bras de Christian.*

Christian !

DE GUICHE, *ricanant, à Cyrano.*
La nuit de noce est encore lointaine !

CYRANO, *à part.*
1700 Dire qu'il croit me faire énormément de peine !

CHRISTIAN, *à Roxane.*
Oh ! tes lèvres encor !

CYRANO
Allons, voyons, assez !

CHRISTIAN, *continuant à embrasser Roxane.*
C'est dur de la quitter… Tu ne sais pas…

CYRANO, *cherchant à l'entraîner.*
Je sais.

On entend au loin des tambours qui battent une marche.

DE GUICHE, *qui est remonté au fond.*
Le régiment qui part !

ROXANE, *à Cyrano, en retenant*
Christian qu'il essaye toujours d'entraîner.
Oh !… je vous le confie !
Promettez-moi que rien ne va mettre sa vie
1705 En danger !

CYRANO
J'essaierai… mais ne peux cependant
Promettre…

ROXANE, *même jeu.*
Promettez qu'il sera très prudent !

CYRANO
Oui, je tâcherai, mais…

ROXANE, *même jeu.*
Qu'à ce siège terrible

Il n'aura jamais froid !

CYRANO

Je ferai mon possible.

Mais…

ROXANE, *même jeu.*

Qu'il sera fidèle !

CYRANO

Eh oui ! sans doute, mais…

ROXANE, *même jeu.*

1710 Qu'il m'écrira souvent !

CYRANO, *s'arrêtant.*

Ça, – je vous le promets !

RIDEAU

Un quiz pour commencer

Cochez les bonnes réponses.

❶ *Où l'action de l'acte III se déroule-t-elle ?*
- ❏ Chez Ragueneau.
- ❏ Chez Roxane.
- ❏ Chez Cyrano.

❷ *Quel troisième personnage est amoureux de Roxane ?*
- ❏ Le capitaine Carbon de Castel-Jaloux.
- ❏ Le capucin.
- ❏ Le comte de Guiche.

❸ *Quelle idée Roxane suggère-t-elle à De Guiche pour qu'il se venge de Cyrano ?*
- ❏ De ne pas l'envoyer à la guerre.
- ❏ De faire de lui son aide de camp.
- ❏ De le renvoyer de l'armée.

❹ *Pourquoi Roxane ne veut-elle pas que les cadets participent à la guerre ?*
- ❒ Elle veut sauver la vie de Cyrano.
- ❒ Elle veut sauver la vie de De Guiche.
- ❒ Elle veut sauver la vie de Christian.

❺ *Pourquoi Christian et Cyrano se disputent-ils dans la scène 4 ?*
- ❒ Parce que Christian veut que Cyrano lui obtienne un baiser.
- ❒ Parce que Christian en a assez que Cyrano parle à sa place.
- ❒ Parce que Cyrano refuse de parler à la place de Christian.

❻ *Lors de la scène du balcon, qui est l'auteur des mots adressés à Roxane ?*
- ❒ Cyrano.
- ❒ De Guiche.
- ❒ Christian.

❼ *Pourquoi Cyrano gagne-t-il du temps dans la scène 13 ?*
- ❒ Afin de laisser Christian et Roxane s'enfuir.
- ❒ Afin de laisser le capucin marier Christian et Roxane.
- ❒ Afin de laisser Christian faire ses adieux à Roxane.

❽ *Dans la scène 13, pour qui Cyrano se fait-il passer aux yeux de De Guiche ?*
- ❒ Pour un Martien.
- ❒ Pour un habitant de la Lune.
- ❒ Pour un Terrien qui vient de visiter la Lune.

❾ *Comment l'acte III se termine-t-il ?*
- ❒ Christian part à la guerre sans Cyrano.
- ❒ Ni Christian, ni Cyrano ne partent à la guerre.
- ❒ Christian et Cyrano partent ensemble à la guerre.

Des questions pour aller plus loin

☞ Analyser l'évolution des personnages

Le personnage de Roxane

❶ Montrez que De Guiche est victime d'un quiproquo dans la scène 2 (v. 1250-1253). Sur quel mot ce quiproquo repose-t-il ?

❷ Au vers 1292, expliquez comment Roxane manipule De Guiche sans pour autant mentir.

❸ Dans la scène 5, comment Roxane réagit-elle aux mots d'amour dont Christian est, cette fois, réellement l'auteur ? Que pensez-vous de cette réaction ?

❹ Comment caractériseriez-vous Roxane ? Vous répondrez à la question en employant des arguments précis.

Le personnage de Christian

❺ Au cours de la scène 4, pourquoi Christian ne veut-il plus répéter les mots d'amour imaginés par Cyrano ?

❻ Dans la scène 4, de quelle qualité Christian fait-il preuve en souhaitant s'exprimer lui-même ?

❼ En quoi la fin de la scène 10 révèle-t-elle le caractère terre à terre de Christian ? Montrez qu'il s'oppose sur ce point à Cyrano.

Le personnage de Cyrano

❽ En vous appuyant sur les didascalies et les champs lexicaux (scène 7, v. 1390-1444), montrez que Cyrano se laisse emporter par ses émotions et outrepasse son rôle de souffleur.

❾ Dans la scène 7, relevez les vers où Cyrano manque de trahir son identité et ses sentiments, et se rattrape de justesse.

❿ Qui sont les seules personnes en mesure de comprendre à quoi Cyrano fait allusion dans les vers 1456 à 1473 ? En quoi peut-on parler ici de double langage ?

⓫ Cyrano, pourtant éloquent poète, affirme qu'il ne veut plus élaborer de déclarations raffinées : relevez, dans les vers 1416 à 1439, les arguments qu'il invoque pour se justifier auprès de Roxane.

⓬ Dans les scènes 9 à 13, montrez que Cyrano fait tout pour favoriser l'amour de Christian et de Roxane.

Rappelez-vous !

Dans l'acte III, cœur de l'intrigue, les personnages révèlent toutes leurs facettes. Roxane est à la fois un peu légère et superficielle, mais aussi déterminée et rusée, et entend rester maîtresse de son destin. Christian, assez effacé au début de la pièce, révèle un certain courage et la volonté d'exister par lui-même aux yeux de celle qu'il aime. Cyrano, enfin, qui maîtrisait le langage et dominait les situations, se laisse emporter par ses émotions et se trouve pris au piège du pacte qu'il a lui-même élaboré.

De la lecture à l'écriture

Des mots pour mieux écrire

❶ À chaque mot de la liste 1 correspond un synonyme dans la liste 2. À vous de faire des paires !

Liste 1 : aérolithe, choir, comète, essor, rotondité, trombe.
Liste 2 : astre, bond, rondeur, tomber, tourbillon, astéroïde.

❷ Complétez les phrases suivantes à l'aide des mots qui conviennent : dédain, émoi, pudeur, élan.

a. En présence de sa cousine, Cyrano éprouve beaucoup de difficulté à cacher son _____.
b. Malgré toute sa fierté de Gascon, c'est peut-être sa _____ qui caractérise Cyrano.
c. Lorsque Christian perd son éloquence habituelle, Roxane le considère avec _____.
d. L'_____ amoureux de Cyrano est forcé de s'en tenir au seul langage.

À vous d'écrire

❶ Au début de la scène du balcon (scène 7), Roxane s'étonne du dialogue qu'elle croit entretenir avec Christian, et déclare au vers 1390 : « Je descends. » Écrivez une autre suite à cette scène : imaginez que Cyrano ne parvienne pas à dissuader Roxane de descendre dans la cour, qu'elle le fasse effectivement et découvre l'identité de son interlocuteur…
Consigne. Vous imaginerez la suite de la scène à partir du vers 1390, en respectant la présentation du texte de théâtre et en employant des

didascalies. N'oubliez pas que Christian est également présent sur scène. Votre texte occupera une quarantaine de lignes.

❷ Nous sommes au xviiᵉ siècle. On vient d'apprendre qu'un individu a voyagé de la Terre à la Lune et en est revenu. Imaginez l'article qui rendrait compte de cette fabuleuse nouvelle dans une gazette de l'époque.

Consigne. Votre article, d'une vingtaine de lignes, comprendra trois paragraphes : résumé des faits, portrait du voyageur spatial, petite conclusion. Et n'oubliez pas de donner un titre à votre article.

Du texte à l'image

➡ Illustration de Paul Albert Laurens pour *Cyrano de Bergerac* d'Edmond Rostand, 1910.
(Image reproduite au verso de la couverture, en début d'ouvrage.)

👁 *Lire l'image*

❶ Observez les couleurs choisies pour le costume de chaque personnage. De quel type de couleurs s'agit-il ? Que peuvent-elles symboliser ?

❷ 🖉 **a.** Faites une recherche sur Internet sur les principaux styles architecturaux du xviiᵉ au xixᵉ siècle en France (par exemple sur histoiredesarts.culture.fr). Observez les colonnes du balcon, la fenêtre : de quelle époque date le décor représenté par le peintre ?
b. Le style architectural représenté est-il celui de l'époque durant laquelle se déroule la pièce ? Comment expliquer ce choix ?

Comparer le texte et l'image

❸ À quel passage précis de l'acte III cette illustration correspond-elle ?
Citez les vers concernés.

❹ Montrez comment les éléments du dessin soulignent la situation des
personnages à ce moment de la pièce : Cyrano isolé d'une part, Christian
et Roxane réunis d'autre part.

À vous de créer

❺ La scène du balcon est difficile à mettre en scène : elle se déroule la
nuit, elle pose des problèmes de vraisemblance, il faut trouver comment
placer Christian et Cyrano l'un par rapport à l'autre.

Rédigez une note d'intention de mise en scène en expliquant,
éventuellement à l'aide d'un croquis, quelle(s) solution(s) vous envisagez
pour résoudre ces difficultés.

ACTE IV
Les cadets de Gascogne

Le poste qu'occupe la compagnie de Carbon de Castel-Jaloux au siège d'Arras.

Au fond, talus traversant toute la scène. Au-delà s'aperçoit un horizon de plaine : le pays couvert de travaux de siège. Les murs d'Arras et la silhouette de ses toits sur le ciel, très loin.

Tentes ; armes éparses ; tambours, etc. – Le jour va se lever. Jaune Orient [1]. – Sentinelles espacées. Feux.

Roulés dans leurs manteaux, les cadets de Gascogne dorment. Carbon de Castel-Jaloux et Le Bret veillent. Ils sont très pâles et très maigris. Christian dort, parmi les autres, dans sa cape, au premier plan, le visage éclairé par un feu. Silence.

Scène 1
CHRISTIAN, CARBON DE CASTEL-JALOUX,
LE BRET, LES CADETS, *puis* CYRANO

LE BRET

C'est affreux !

CARBON
Oui. Plus rien.

LE BRET
Mordious !

---

1. **Jaune Orient** : jaune foncé.

CARBON, *lui faisant*
signe de parler plus bas.

Jure en sourdine !

Tu vas les réveiller.

Aux cadets.

Chut ! Dormez !

À Le Bret.

Qui dort dîne !

LE BRET

Quand on a l'insomnie on trouve que c'est peu !
Quelle famine !

On entend au loin quelques coups de feu.

CARBON

Ah ! maugrébis¹ des coups de feu !...
1715 Ils vont me réveiller mes enfants !

Aux cadets qui lèvent la tête.

Dormez !

On se recouche. Nouveaux coups de feu plus rapprochés.

UN CADET, *s'agitant.*

Diantre !

Encore ?

CARBON

Ce n'est rien ! C'est Cyrano qui rentre !

Les têtes qui s'étaient relevées se recouchent.

UNE SENTINELLE, *au-dehors.*

Ventrebieu² ! qui va là ?

LA VOIX DE CYRANO

Bergerac !

---

1. **Maugrébis** : juron.
2. **Ventrebieu** : juron.

La sentinelle, *qui est sur le talus.*
Ventrebieu!

Qui va là?

Cyrano, *paraissant sur la crête.*
Bergerac, imbécile!

Il descend. Le Bret va au-devant de lui, inquiet.

Le Bret
Ah! grand Dieu!

Cyrano, *lui faisant*
signe de ne réveiller personne.

Chut!

Le Bret

Blessé?

Cyrano
Tu sais bien qu'ils ont pris l'habitude
1720 De me manquer tous les matins!

Le Bret
C'est un peu rude,
Pour porter une lettre, à chaque jour levant,
De risquer!

Cyrano, *s'arrêtant devant Christian.*
J'ai promis qu'il écrirait souvent!

Il le regarde.

Il dort. Il est pâli. Si la pauvre petite
Savait qu'il meurt de faim… Mais toujours beau!

Le Bret
Va vite
1725 Dormir!

Cyrano
Ne grogne pas, Le Bret!… Sache ceci:

Pour traverser les rangs espagnols, j'ai choisi
Un endroit où je sais, chaque nuit, qu'ils sont ivres.

LE BRET

Tu devrais bien un jour nous rapporter des vivres.

CYRANO

Il faut être léger pour passer ! – Mais je sais
1730 Qu'il y aura ce soir du nouveau. Les Français
Mangeront ou mourront, – si j'ai bien vu…

LE BRET

                  Raconte !

CYRANO

Non. Je ne suis pas sûr… vous verrez !…

CARBON

                  Quelle honte,
Lorsqu'on est assiégeant, d'être affamé !

LE BRET

                Hélas !
Rien de plus compliqué que ce siège d'Arras :
1735 Nous assiégeons Arras, – nous-mêmes, pris au piège,
Le cardinal infant d'Espagne nous assiège…

CYRANO

Quelqu'un devrait venir l'assiéger à son tour.

LE BRET

Je ne ris pas.

CYRANO

    Oh ! oh !

LE BRET

            Penser que chaque jour
Vous risquez une vie, ingrat, comme la vôtre,
1740 Pour porter…

Le voyant qui se dirige vers une tente.

Où vas-tu?

CYRANO

J'en vais écrire une autre.

Il soulève la toile et disparaît.

Scène 2

LES MÊMES, *moins* CYRANO

Le jour s'est un peu levé. Lueurs roses. La ville d'Arras se dore à l'horizon. On entend un coup de canon immédiatement suivi d'une batterie de tambours, très au loin, vers la gauche. D'autres tambours battent plus près. Les batteries vont se répondant, et se rapprochant, éclatent presque en scène et s'éloignent vers la droite, parcourant le camp. Rumeurs de réveil. Voix lointaines d'officiers.

CARBON, *avec un soupir.*

La diane[1]!… Hélas!

Les cadets s'agitent dans leurs manteaux, s'étirent.

Sommeil succulent, tu prends fin!…

Je sais trop quel sera leur premier cri!

UN CADET, *se mettant sur son séant.*

J'ai faim!

UN AUTRE

Je meurs!

TOUS

Oh!

---

1. Diane : sonnerie militaire exécutée à la pointe du jour pour réveiller les soldats.

CARBON

Levez-vous !

TROISIÈME CADET

Plus un pas !

QUATRIÈME CADET

Plus un geste !

LE PREMIER, *se regardant*
dans un morceau de cuirasse.

Ma langue est jaune : l'air du temps est indigeste !

UN AUTRE

1745   Mon tortil de baron pour un peu de Chester[1] !

UN AUTRE

Moi, si l'on ne veut pas fournir à mon gaster[2]
De quoi m'élaborer une pinte de chyle[3],
Je me retire sous ma tente, – comme Achille !

UN AUTRE

Oui, du pain !

CARBON, *allant à la tente*
où est entré Cyrano, à mi-voix.

Cyrano !

D'AUTRES

Nous mourons !

CARBON, *toujours*
à mi-voix, à la porte de la tente.

Au secours !

1750   Toi qui sais si gaiement leur répliquer toujours,
Viens les ragaillardir !

---

1. Chester : fromage anglais.
2. Gaster : estomac, en grec.
3. Chyle : suc issu de la digestion.

DEUXIÈME CADET, *se précipitant*
vers le premier qui mâchonne quelque chose.
Qu'est-ce que tu grignotes ?

LE PREMIER
De l'étoupe[1] à canon que dans les bourguignotes[2]
On fait frire en la graisse à graisser les moyeux.
Les environs d'Arras sont très peu giboyeux[3] !

UN AUTRE, *entrant.*
1755   Moi, je viens de chasser !

UN AUTRE, *même jeu.*
J'ai pêché, dans la Scarpe !

TOUS, *debout, se ruant*
sur les deux nouveaux venus.
Quoi ? – Que rapportez-vous ? – Un faisan ? – Une carpe ?
– Vite, vite, montrez !

LE PÊCHEUR
Un goujon !

LE CHASSEUR
Un moineau !

TOUS, *exaspérés.*
Assez ! – Révoltons-nous !

CARBON
Au secours, Cyrano !
Il fait maintenant tout à fait jour.

---

1. Étoupe : tissu grossier.
2. Bourguignotes : casques.
3. Giboyeux : riches en gibier.

Scène 3

LES MÊMES, CYRANO

CYRANO, *sortant de sa tente, tranquille,*
une plume à l'oreille, un livre à la main.

Hein?

Silence. Au premier cadet.

Pourquoi t'en vas-tu, toi, de ce pas qui traîne?

LE CADET

1760 J'ai quelque chose, dans les talons, qui me gêne!…

CYRANO

Et quoi donc?

LE CADET

L'estomac!

CYRANO

Moi de même, pardi!

LE CADET

Cela doit te gêner?

CYRANO

Non, cela me grandit.

DEUXIÈME CADET

J'ai les dents longues!

CYRANO

Tu n'en mordras que plus large.

UN TROISIÈME

Mon ventre sonne creux!

CYRANO

Nous y battrons la charge.

Un autre

1765 Dans les oreilles, moi, j'ai des bourdonnements.

Cyrano

Non, non ; ventre affamé, pas d'oreilles : tu mens !

Un autre

Oh ! manger quelque chose, – à l'huile !

Cyrano, *le décoiffant*
et lui mettant son casque dans la main.
Ta salade.

Un autre

Qu'est-ce qu'on pourrait bien dévorer ?

Cyrano, *lui jetant*
le livre qu'il tient à la main.
L'Iliade.

Un autre

Le ministre, à Paris, fait ses quatre repas !

Cyrano

1770 Il devrait t'envoyer du perdreau ?

Le même

Pourquoi pas ?

Et du vin !

Cyrano

Richelieu, du Bourgogne, *if you please ?*

Le même

Par quelque capucin !

Cyrano

L'éminence qui grise[1] ?

---

1. L'éminence qui grise : jeu de mots sur l'expression « éminence grise » (personne influente en secret) et le verbe « griser » (enivrer).

UN AUTRE

J'ai des faims d'ogre !

CYRANO

Eh ! bien !… tu croques le marmot[1] !

LE PREMIER CADET, *haussant les épaules.*

Toujours le mot, la pointe[2] !

CYRANO

Oui, la pointe, le mot !

1775   Et je voudrais mourir, un soir, sous un ciel rose,
En faisant un bon mot, pour une belle cause !
– Oh ! frappé par la seule arme noble qui soit,
Et par un ennemi qu'on sait digne de soi,
Sur un gazon de gloire et loin d'un lit de fièvres,
1780   Tomber la pointe au cœur en même temps qu'aux lèvres !

CRIS DE TOUS

J'ai faim !

CYRANO, *se croisant les bras.*

Ah çà ! mais vous ne pensez qu'à manger ?…
– Approche, Bertrandou le fifre[3], ancien berger ;
Du double étui de cuir tire l'un de tes fifres,
Souffle, et joue à ce tas de goinfres et de piffres
1785   Ces vieux airs du pays, au doux rythme obsesseur[4],
Dont chaque note est comme une petite sœur,
Dans lesquels restent pris des sons de voix aimées,
Ces airs dont la lenteur est celle des fumées
Que le hameau natal exhale de ses toits,
1790   Ces airs dont la musique a l'air d'être en patois !…

Le vieux s'assied et prépare son fifre.

Que la flûte, aujourd'hui, guerrière qui s'afflige,

---

1. Tu croques le marmot : tu attends en t'énervant.
2. Pointe : mot d'esprit fin, recherché.
3. Fifre : joueur de fifre, c'est-à-dire de flûte.
4. Obsesseur : obsédant, entêtant.

Se souvienne un moment, pendant que sur sa tige
Tes doigts semblent danser un menuet[1] d'oiseau,
Qu'avant d'être d'ébène, elle fut de roseau ;
1795 Que sa chanson l'étonne, et qu'elle y reconnaisse
L'âme de sa rustique et paisible jeunesse !…

> *Le vieux commence à jouer des airs languedociens*[2].

Écoutez, les Gascons… Ce n'est plus, sous ses doigts,
Le fifre aigu des camps, c'est la flûte des bois !
Ce n'est plus le sifflet du combat, sous ses lèvres,
1800 C'est le lent galoubet[3] de nos meneurs de chèvres !…
Écoutez… C'est le val, la lande, la forêt,
Le petit pâtre brun sous son rouge béret,
C'est la verte douceur des soirs sur la Dordogne,
Écoutez, les Gascons : c'est toute la Gascogne !

*Toutes les têtes se sont inclinées ; – tous les yeux rêvent ; – et des lar-
mes sont furtivement essuyées, avec un revers de manche, un coin de
manteau.*

CARBON, à Cyrano, bas.

1805 Mais tu les fais pleurer !

CYRANO

De nostalgie !… Un mal
Plus noble que la faim !… pas physique : moral !
J'aime que leur souffrance ait changé de viscère[4],
Et que ce soit leur cœur, maintenant, qui se serre !

CARBON

Tu vas les affaiblir en les attendrissant !

CYRANO, qui a fait signe
au tambour d'approcher.

1810 Laisse donc ! Les héros qu'ils portent dans leur sang

---

1. Menuet : morceau de musique à danser.
2. Languedociens : originaires du Languedoc, donc de Gascogne.
3. Galoubet : petit instrument à vent.
4. Viscère : organe.

Sont vite réveillés ! Il suffit…

> *Il fait un geste. Le tambour roule.*

TOUS, *se levant*
et se précipitant sur leurs armes.
Hein ?… Quoi ?… Qu'est-ce ?

CYRANO, *souriant.*
Tu vois, il a suffi d'un roulement de caisse !
Adieu rêves, regrets, vieille province, amour…
Ce qui du fifre vient s'en va par le tambour !

UN CADET, *qui regarde au fond.*
1815 Ah ! Ah ! Voici monsieur de Guiche !

TOUS LES CADETS, *murmurant.*
Hou…

CYRANO, *souriant.*
Murmure

Flatteur !

UN CADET
Il nous ennuie !

UN AUTRE
Avec, sur son armure
Son grand col de dentelle, il vient faire le fier !

UN AUTRE
Comme si l'on portait du linge sur du fer !

LE PREMIER
C'est bon lorsque à son cou l'on a quelque furoncle !

LE DEUXIÈME
1820 Encore un courtisan !

UN AUTRE
Le neveu de son oncle !

CARBON

C'est un Gascon pourtant !

LE PREMIER

Un faux !… Méfiez-vous !
Parce que, les Gascons… ils doivent être fous :
Rien de plus dangereux qu'un Gascon raisonnable.

LE BRET

Il est pâle !

UN AUTRE

Il a faim… autant qu'un pauvre diable !
1825 Mais comme sa cuirasse a des clous de vermeil[1],
Sa crampe d'estomac étincelle au soleil !

CYRANO, *vivement.*

N'ayons pas l'air non plus de souffrir ! Vous, vos cartes,
Vos pipes et vos dés…

*Tous rapidement se mettent à jouer sur des tambours, sur des escabeaux
et par terre, sur leurs manteaux, et ils allument de longues pipes de
pétun[2].*

Et moi, je lis Descartes[3].

*Il se promène de long en large et lit dans un petit livre qu'il a tiré de sa
poche. – Tableau. – De Guiche entre. Tout le monde a l'air absorbé et
content. Il est très pâle. Il va vers Carbon.*

---

1. Vermeil : matière précieuse faite d'or appliqué sur de l'argent.
2. Pétun : tabac.
3. Descartes (1596-1650) : savant et philosophe français.

Scène 4

LES MÊMES, DE GUICHE

DE GUICHE, *à Carbon.*

Ah ! – Bonjour !

Ils s'observent tous les deux. À part, avec satisfaction.
Il est vert.

CARBON, *de même.*
Il n'a plus que les yeux.

DE GUICHE, *regardant les cadets.*

1830   Voici donc les mauvaises têtes ?… Oui, messieurs,
Il me revient de tous côtés qu'on me brocarde[1]
Chez vous, que les cadets, noblesse montagnarde,
Hobereaux béarnais, barons périgourdins[2],
N'ont pour leur colonel pas assez de dédains,
1835   M'appellent intrigant, courtisan, – qu'il les gêne
De voir sur ma cuirasse un col en point de Gêne[3], –
Et qu'ils ne cessent pas de s'indigner entre eux
Qu'on puisse être Gascon et ne pas être gueux !

Silence. On joue. On fume.

Vous ferai-je punir par votre capitaine ?
1840   Non.

CARBON

D'ailleurs, je suis libre et n'inflige de peine…

DE GUICHE

Ah ?

CARBON

J'ai payé ma compagnie, elle est à moi.

---

1. On me brocarde : on se moque de moi.
2. Béarnais, périgourdins : originaires du Béarn et du Périgord (Sud-Ouest de la France).
3. Point de Gêne : point de broderie.

Je n'obéis qu'aux ordres de guerre.

DE GUICHE

Ah ?... Ma foi !

Cela suffit.

S'adressant aux cadets.

Je peux mépriser vos bravades.
On connaît ma façon d'aller aux mousquetades[1] ;
1845 Hier, à Bapaume, on vit la furie avec quoi
J'ai fait lâcher le pied au comte de Bucquoi ;
Ramenant sur ses gens les miens en avalanche,
J'ai chargé par trois fois !

CYRANO, *sans lever le nez de son livre.*

Et votre écharpe blanche ?

DE GUICHE, *surpris et satisfait.*

Vous savez ce détail ?... En effet, il advint,
1850 Durant que je faisais ma caracole[2] afin
De rassembler mes gens pour la troisième charge,
Qu'un remous de fuyards m'entraîna sur la marge
Des ennemis ; j'étais en danger qu'on me prît
Et qu'on m'arquebusât[3], quand j'eus le bon esprit
1855 De dénouer et de laisser couler à terre
L'écharpe qui disait mon grade militaire ;
En sorte que je pus, sans attirer les yeux,
Quitter les Espagnols, et revenant sur eux,
Suivi de tous les miens réconfortés, les battre !
1860 – Eh bien ! que dites-vous de ce trait ?

Les cadets n'ont pas l'air d'écouter ; mais ici les cartes et les cornets à dés restent en l'air, la fumée des pipes demeure dans les joues : attente.

---

1. **Mousquetades** : coups de mousquet, ancêtre du fusil.
2. **Caracole** : mouvement d'une troupe quand elle pivote.
3. **Qu'on m'arquebusât** : qu'on me tuât d'un coup d'arquebuse (arme à feu).

CYRANO

                    Qu'Henri quatre
N'eût jamais consenti, le nombre l'accablant,
À se diminuer de son panache blanc.

Joie silencieuse. Les cartes s'abattent.
Les dés tombent. La fumée s'échappe.

DE GUICHE

L'adresse a réussi, cependant !

Même attente suspendant les jeux et les pipes.

CYRANO

                    C'est possible.
Mais on n'abdique pas l'honneur d'être une cible.

Cartes, dés, fumées, s'abattent, tombent,
s'envolent avec une satisfaction croissante.

1865   Si j'eusse été présent quand l'écharpe coula
       – Nos courages, monsieur, diffèrent en cela –
       Je l'aurais ramassée et me la serais mise.

DE GUICHE

Oui, vantardise, encor, de Gascon !

CYRANO

                    Vantardise ?…
Prêtez-la-moi. Je m'offre à monter, dès ce soir,
1870   À l'assaut, le premier, avec elle en sautoir.

DE GUICHE

Offre encor de Gascon ! Vous savez que l'écharpe
Resta chez l'ennemi, sur les bords de la Scarpe,
En un lieu que depuis la mitraille cribla, –
Où nul ne peut aller la chercher !

CYRANO, *tirant de sa poche*
l'écharpe blanche et la lui tendant.
                    La voilà.

Silence. Les cadets étouffent leurs rires dans les cartes et dans les cornets à dés. De Guiche se retourne, les regarde : immédiatement ils reprennent leur gravité, leurs jeux ; l'un d'eux sifflote avec indifférence l'air montagnard joué par le fifre.

D<small>E</small> G<small>UICHE</small>, *prenant l'écharpe.*

1875   Merci. Je vais, avec ce bout d'étoffe claire,
Pouvoir faire un signal, – que j'hésitais à faire.

Il va au talus, y grimpe, et agite plusieurs fois l'écharpe en l'air.

T<small>OUS</small>

Hein !

L<small>A</small> S<small>ENTINELLE</small>, *en haut du talus.*
Cet homme, là-bas, qui se sauve en courant !…

D<small>E</small> G<small>UICHE</small>, *redescendant.*

C'est un faux espion espagnol. Il nous rend
De grands services. Les renseignements qu'il porte
1880   Aux ennemis sont ceux que je lui donne, en sorte
Que l'on peut influer sur leurs décisions.

C<small>YRANO</small>

C'est un gredin !

D<small>E</small> G<small>UICHE</small>, *se nouant
nonchalamment son écharpe.*
C'est très commode. Nous disions ?…

– Ah !… J'allais vous apprendre un fait. Cette nuit même,
Pour nous ravitailler tentant un coup suprême,
1885   Le maréchal s'en fut vers Dourlens, sans tambours ;
Les vivandiers[1] du Roi sont là ; par les labours
Il les joindra ; mais pour revenir sans encombre,
Il a pris avec lui des troupes en tel nombre
Que l'on aurait beau jeu, certes, en nous attaquant :
1890   La moitié de l'armée est absente du camp !

---

1. Vivandiers : personnes chargées de fournir les vivres aux troupes.

CARBON

Oui, si les Espagnols savaient, ce serait grave.
Mais ils ne savent pas ce départ ?

DE GUICHE

Ils le savent.

Ils vont nous attaquer.

CARBON

Ah !

DE GUICHE

Mon faux espion

M'est venu prévenir de leur agression.
1895 Il ajouta : « J'en peux déterminer la place ;
Sur quel point voulez-vous que l'attaque se fasse ?
Je dirai que de tous c'est le moins défendu,
Et l'effort portera sur lui. » – J'ai répondu :
« C'est bon. Sortez du camp. Suivez des yeux la ligne :
1900 Ce sera sur le point d'où je vous ferai signe. »

CARBON, *aux cadets.*

Messieurs, préparez-vous !

Tous se lèvent. Bruit d'épées et de ceinturons qu'on boucle.

DE GUICHE

C'est dans une heure.

PREMIER CADET

Ah !… bien !…

Ils se rasseyent tous. On reprend la partie interrompue.

DE GUICHE, *à Carbon.*

Il faut gagner du temps. Le maréchal revient.

CARBON

Et pour gagner du temps ?

224

DE GUICHE
Vous aurez l'obligeance

De vous faire tuer.

CYRANO
Ah ! voilà la vengeance ?

DE GUICHE
1905 Je ne prétendrai pas que si je vous aimais
Je vous eusse choisis vous et les vôtres, mais,
Comme à votre bravoure on n'en compare aucune,
C'est mon Roi que je sers en servant ma rancune.

CYRANO, *saluant.*
Souffrez que je vous sois, monsieur, reconnaissant.

DE GUICHE, *saluant.*
1910 Je sais que vous aimez vous battre un contre cent.
Vous ne vous plaindrez pas de manquer de besogne.

Il remonte, avec Carbon.

CYRANO, *aux cadets.*
Eh bien donc ! nous allons au blason de Gascogne,
Qui porte six chevrons[1], messieurs, d'azur et d'or,
Joindre un chevron de sang qui lui manquait encor !

De Guiche cause bas avec Carbon de Castel-Jaloux, au fond. On donne des ordres. La résistance se prépare. Cyrano va vers Christian qui est resté immobile, les bras croisés.

CYRANO, *lui mettant la main sur l'épaule.*
1915 Christian ?

CHRISTIAN, *secouant la tête.*
Roxane !

CYRANO
Hélas !

---

1. **Chevrons** : décorations en forme de v.

CHRISTIAN

Au moins, je voudrais mettre
Tout l'adieu de mon cœur dans une belle lettre !…

CYRANO

Je me doutais que ce serait pour aujourd'hui.

Il tire un billet [1] *de son pourpoint.*

Et j'ai fait tes adieux.

CHRISTIAN

Montre !…

CYRANO

Tu veux ?…

CHRISTIAN, *lui prenant la lettre.*

Mais oui !

Il l'ouvre, lit et s'arrête.

Tiens !…

CYRANO

Quoi ?

CHRISTIAN

Ce petit rond ?…

CYRANO, *reprenant
la lettre vivement, et regardant d'un air naïf.*

Un rond ?…

CHRISTIAN

C'est une larme !

CYRANO

1920   Oui… Poète, on se prend à son jeu, c'est le charme !…
Tu comprends… ce billet, – c'était très émouvant :
Je me suis fait pleurer moi-même en l'écrivant.

—————————

1. Billet : mot écrit à la main.

CHRISTIAN

Pleurer?...

CYRANO

Oui... parce que... mourir n'est pas terrible.
Mais... ne plus la revoir, jamais... voilà l'horrible!
1925 Car enfin je ne la...

Christian le regarde.

nous ne la...

Vivement.

tu ne la...

CHRISTIAN, *lui arrachant la lettre.*

Donne-moi ce billet!

On entend une rumeur, au loin, dans le camp.

LA VOIX D'UNE SENTINELLE

Ventrebieu, qui va là?

Coups de feu. Bruits de voix. Grelots.

CARBON

Qu'est-ce?...

LA SENTINELLE, *qui est sur le talus.*

Un carrosse!

On se précipite pour voir.

CRIS

Quoi! Dans le camp? – Il y entre! –
Il a l'air de venir de chez l'ennemi! – Diantre!
Tirez! – Non! Le cocher a crié! – Crié quoi? –
1930 Il a crié: Service du Roi!

*Tout le monde est sur le talus et regarde au-dehors.
Les grelots se rapprochent.*

DE GUICHE

Hein? Du Roi!...

On redescend, on s'aligne.

CARBON

Chapeau bas, tous !

DE GUICHE, *à la cantonade.*

Du Roi ! – Rangez-vous, vile tourbe,

Pour qu'il puisse décrire avec pompe sa courbe !

Le carrosse entre au grand trot. Il est couvert de boue et de poussière.
Les rideaux sont tirés. Deux laquais derrière. Il s'arrête net.

CARBON, *criant.*

Battez aux champs[1] !

Roulement de tambours. Tous les cadets se découvrent.

DE GUICHE

Baissez le marchepied !

Deux hommes se précipitent. La portière s'ouvre.

ROXANE, *sautant du carrosse.*

Bonjour !

Le son d'une voix de femme relève d'un seul coup
tout ce monde profondément incliné. – Stupeur.

Scène 5

LES MÊMES, ROXANE

DE GUICHE

Service du Roi ! Vous ?

ROXANE

Mais du seul roi, l'Amour !

---

1. **Battez aux champs** : marchez en ordre, pour rendre les honneurs.

CYRANO

1935 Ah! grand Dieu!

CHRISTIAN, *s'élançant.*
Vous! Pourquoi?

ROXANE
C'était trop long, ce siège!

CHRISTIAN

Pourquoi?...

ROXANE
Je te dirai!

CYRANO, *qui, au son de sa voix, est resté*
cloué immobile, sans oser tourner les yeux vers elle.
Dieu! La regarderai-je?

DE GUICHE

Vous ne pouvez rester ici!

ROXANE, *gaiement.*
Mais si! mais si!
Voulez-vous m'avancer un tambour?...
Elle s'assied sur un tambour qu'on avance.
Là, merci!

Elle rit.

On a tiré sur mon carrosse!

Fièrement.

Une patrouille!
1940 — Il a l'air d'être fait avec une citrouille,
N'est-ce pas? comme dans le conte, et les laquais
Avec des rats.

Envoyant des lèvres un baiser à Christian.
Bonjour!

Les regardant tous.
Vous n'avez pas l'air gais!

Savez-vous que c'est loin, Arras?

Apercevant Cyrano.

Cousin, charmée!

CYRANO, *s'avançant.*

Ah çà! comment?…

ROXANE

Comment j'ai retrouvé l'armée?
1945 Oh! mon Dieu, mon ami, mais c'est tout simple: j'ai
Marché tant que j'ai vu le pays ravagé.
Ah! ces horreurs, il a fallu que je les visse
Pour y croire! Messieurs, si c'est là le service
De votre Roi, le mien vaut mieux!

CYRANO

Voyons, c'est fou!
1950 Par où diable avez-vous bien pu passer?

ROXANE

Par où?

Par chez les Espagnols.

PREMIER CADET

Ah! qu'elles sont malignes!

DE GUICHE

Comment avez-vous fait pour traverser leurs lignes?

LE BRET

Cela dut être très difficile!…

ROXANE

Pas trop.
J'ai simplement passé dans mon carrosse, au trot.
1955 Si quelque hidalgo[1] montrait sa mine altière,
Je mettais mon plus beau sourire à la portière,

---

1. **Hidalgo** : noble espagnol.

Et ces messieurs étant, n'en déplaise aux Français,
Les plus galantes gens du monde, – je passais !

CARBON

Oui, c'est un passeport, certes, que ce sourire !
1960 Mais on a fréquemment dû vous sommer[1] de dire
Où vous alliez ainsi, madame ?

ROXANE

Fréquemment.

Alors je répondais : « Je vais voir mon amant. »
– Aussitôt l'Espagnol à l'air le plus féroce
Refermait gravement la porte du carrosse,
1965 D'un geste de la main à faire envie au Roi
Relevait les mousquets déjà braqués sur moi,
Et superbe de grâce, à la fois, et de morgue[2],
L'ergot tendu sous la dentelle en tuyau d'orgue[3],
Le feutre au vent pour que la plume palpitât,
1970 S'inclinait en disant : « Passez, señorita ! »

CHRISTIAN

Mais, Roxane…

ROXANE

J'ai dit : mon amant, oui… pardonne !

Tu comprends, si j'avais dit : mon mari, personne
Ne m'eût laissé passer !

CHRISTIAN

Mais…

ROXANE

Qu'avez-vous ?

---

1. Sommer : ordonner.
2. Morgue : fort sentiment de supériorité.
3. L'ergot tendu sous la dentelle en tuyau d'orgue : bombant le torse avec fierté.

DE GUICHE

Il faut

Vous en aller d'ici !

ROXANE

Moi ?

CYRANO

Bien vite !

LE BRET

Au plus tôt !

CHRISTIAN

1975 Oui !

ROXANE

Mais comment ?

CHRISTIAN, *embarrassé.*

C'est que…

CYRANO, *de même.*

Dans trois quarts d'heure…

DE GUICHE, *de même.*

… ou quatre…

CARBON, *de même.*

Il vaut mieux…

LE BRET, *de même.*

Vous pourriez…

ROXANE

Je reste. On va se battre.

TOUS

Oh ! non !

ROXANE

C'est mon mari !

Elle se jette dans les bras de Christian.

Qu'on me tue avec toi !

CHRISTIAN

Mais quels yeux vous avez !

ROXANE

Je te dirai pourquoi !

DE GUICHE, *désespéré.*

C'est un poste terrible !

ROXANE, *se retournant.*

Hein ! terrible ?

CYRANO

Et la preuve

1980   C'est qu'il nous l'a donné !

ROXANE, *à De Guiche.*

Ah ! vous me vouliez veuve ?

DE GUICHE

Oh ! je vous jure !…

ROXANE

Non ! Je suis folle à présent !
Et je ne m'en vais plus !… D'ailleurs, c'est amusant.

CYRANO

Eh quoi ! la précieuse était une héroïne ?

ROXANE

Monsieur de Bergerac, je suis votre cousine.

UN CADET

1985   Nous vous défendrons bien !

ROXANE, *enfiévrée[1] de plus en plus.*
Je le crois, mes amis !

UN AUTRE, *avec enivrement.*
Tout le camp sent l'iris !

ROXANE
Et j'ai justement mis
Un chapeau qui fera très bien dans la bataille !…
Regardant De Guiche.
Mais peut-être est-il temps que le comte s'en aille :
On pourrait commencer.

DE GUICHE
Ah ! c'en est trop ! Je vais
1990 Inspecter mes canons, et reviens… Vous avez
Le temps encor : changez d'avis !

ROXANE
Jamais !

De Guiche sort.

Scène 6

LES MÊMES, *moins* DE GUICHE

CHRISTIAN, *suppliant.*
Roxane !…

ROXANE
Non !

---

1. **Enfiévrée** : enthousiasmée.

Premier cadet, *aux autres.*

Elle reste !

Tous, *se précipitant,*
se bousculant, s'astiquant.

Un peigne ! – Un savon ! – Ma basane[1]

Est trouée : une aiguille ! – Un ruban ! – Ton miroir ! –
Mes manchettes ! – Ton fer à moustache ! – Un rasoir !

Roxane, *à Cyrano qui la supplie encore.*

1995   Non ! rien ne me fera bouger de cette place !

Carbon, *après s'être, comme les autres,*
sanglé, épousseté, avoir brossé son chapeau,
redressé sa plume et tiré ses manchettes,
s'avance vers Roxane, et cérémonieusement.

Peut-être siérait-il[2] que je vous présentasse,
Puisqu'il en est ainsi, quelques de ces messieurs
Qui vont avoir l'honneur de mourir sous vos yeux.

Roxane s'incline et elle attend,
debout au bras de Christian. Carbon présente :

Baron de Peyrescous de Colignac !

Le cadet, *saluant.*
Madame…

Carbon, *continuant.*

2000   Baron de Casterac de Cahuzac. – Vidame
De Malgouyre Estressac Lésbas d'Escarabiot. –
Chevalier d'Antignac-Juzet. – Baron Hillot
De Blagnac-Saléchan de Castel-Crabioules…

Roxane

Mais combien avez-vous de noms, chacun ?

---

1. Basane : peau de mouton tannée.
2. Peut-être siérait-il : peut-être serait-il convenable.

LE BARON HILLOT

Des foules !

CARBON, *à Roxane.*

2005 Ouvrez la main qui tient votre mouchoir.

ROXANE, *ouvre la main*
et le mouchoir tombe.

Pourquoi ?

Toute la compagnie fait le mouvement de s'élancer pour le ramasser.

CARBON, *le ramassant vivement.*

Ma compagnie était sans drapeau ! Mais ma foi,
C'est le plus beau du camp qui flottera sur elle !

ROXANE, *souriant.*

Il est un peu petit.

CARBON, *attachant le mouchoir*
à la hampe[1] de sa lance de capitaine.

Mais il est en dentelle !

UN CADET, *aux autres.*

Je mourrais sans regret ayant vu ce minois[2],
2010 Si j'avais seulement dans le ventre une noix !…

CARBON, *qui l'a entendu, indigné.*

Fi ! parler de manger lorsqu'une exquise femme !…

ROXANE

Mais l'air du camp est vif et, moi-même, m'affame :
Pâtés, chauds-froids, vins fins : – mon menu, le voilà !
– Voulez-vous m'apporter tout cela !

Consternation.

UN CADET

Tout cela !

---

1. **Hampe** : manche en bois.
2. **Minois** : joli visage.

UN AUTRE

2015 Où le prendrions-nous, grand Dieu ?

ROXANE, *tranquillement.*

Dans mon carrosse.

TOUS

Hein ?...

ROXANE

Mais il faut qu'on serve et découpe, et désosse !
Regardez mon cocher d'un peu plus près, messieurs,
Et vous reconnaîtrez un homme précieux :
Chaque sauce sera, si l'on veut, réchauffée !

LES CADETS, *se ruant vers le carrosse.*

2020 C'est Ragueneau !

Acclamations.

Oh ! Oh !

ROXANE, *les suivant des yeux.*

Pauvres gens !

CYRANO, *lui baisant la main.*

Bonne fée !

RAGUENEAU, *debout sur le siège*
comme un charlatan en place publique.

Messieurs !

Enthousiasme.

LES CADETS

Bravo ! Bravo !

RAGUENEAU

Les Espagnols n'ont pas,
Quand passaient tant d'appas[1], vu passer le repas !

Applaudissements.

---

1. **Tant d'appas** : tant de charmes.

CYRANO, bas à Christian.

Hum ! hum ! Christian !

RAGUENEAU

Distraits par la galanterie

Ils n'ont pas vu...

Il tire de son siège un plat qu'il élève.

la galantine[1] !...

Applaudissements. La galantine passe de mains en mains.

CYRANO, bas à Christian.

Je t'en prie,

2025 Un seul mot !...

RAGUENEAU

Et Vénus sut occuper leur œil

Pour que Diane en secret, pût passer...

Il brandit un gigot.

son chevreuil !

Enthousiasme. Le gigot est saisi par vingt mains tendues.

CYRANO, bas à Christian.

Je voudrais te parler !

ROXANE, aux cadets

qui redescendent, les bras chargés de victuailles.

Posez cela par terre !

Elle met le couvert sur l'herbe, aidée des deux laquais imperturbables

qui étaient derrière le carrosse.

ROXANE, à Christian, au moment où Cyrano

allait l'entraîner à part.

Vous, rendez-vous utile !

Christian vient l'aider. Mouvement d'inquiétude de Cyrano.

---

1. **Galantine** : charcuterie en gelée.

RAGUENEAU
Un paon truffé !

PREMIER CADET, *épanoui, qui descend*
en coupant une large tranche de jambon.
Tonnerre !
Nous n'aurons pas couru notre dernier hasard
2030 Sans faire un gueuleton…
Se reprenant vivement en voyant Roxane.
pardon ! un balthazar[1] !

RAGUENEAU,
lançant les coussins du carrosse.
Les coussins sont remplis d'ortolans[2] !
Tumulte. On éventre les coussins. Rires. Joie.

TROISIÈME CADET
Ah ! Viédaze[3] !

RAGUENEAU,
lançant des flacons de vin rouge.
Des flacons de rubis !…
De vin blanc.
Des flacons de topaze !

ROXANE, *jetant*
une nappe pliée à la figure de Cyrano.
Défaites cette nappe !… Eh ! hop ! Soyez léger !

RAGUENEAU, *brandissant*
une lanterne arrachée.
Chaque lanterne est un petit garde-manger !

---

1. **Gueuleton, balthazar** : festin (le premier mot est familier, le second précieux).
2. **Ortolans** : petits oiseaux qui sont un mets rare.
3. **Viédaze** : juron.

CYRANO, *bas à Christian,*
pendant qu'ils arrangent la nappe ensemble.

2035 Il faut que je te parle avant que tu lui parles !

RAGUENEAU, *de plus en plus lyrique.*
Le manche de mon fouet est un saucisson d'Arles !

ROXANE, *versant du vin, servant.*
Puisqu'on nous fait tuer, morbleu ! nous nous moquons
Du reste de l'armée ! – Oui ! tout pour les Gascons ! –
Et si De Guiche vient, personne ne l'invite !

Allant de l'un à l'autre.

2040 Là, vous avez le temps. – Ne mangez pas si vite ! –
Buvez un peu. – Pourquoi pleurez-vous ?

PREMIER CADET
C'est trop bon !

ROXANE
Chut ! – Rouge ou blanc ? – Du pain pour monsieur de Carbon !
– Un couteau ! – Votre assiette ! – Un peu de croûte ? – Encore ?
– Je vous sers ! – Du bourgogne ? – Une aile ?

CYRANO, *qui la suit,*
les bras chargés de plats, l'aidant à servir.
Je l'adore !

ROXANE, *allant vers Christian.*

2045 Vous ?

CHRISTIAN
Rien.

ROXANE
Si ! ce biscuit, dans du muscat… deux doigts !

CHRISTIAN, *essayant de la retenir.*
Oh ! dites-moi pourquoi vous vîntes ?

ROXANE

Je me dois
À ces malheureux… Chut ! Tout à l'heure !…

LE BRET, *qui était remonté au fond, pour passer,*
au bout d'une lance, un pain à la sentinelle du talus.

De Guiche !

CYRANO

Vite, cachez flacon, plat, terrine, bourriche[1] !
Hop ! – N'ayons l'air de rien !…

À Ragueneau.

Toi, remonte d'un bon

2050 Sur ton siège ! – Tout est caché ?…

En un clin d'œil tout a été repoussé dans les tentes, ou caché sous les
vêtements, sous les manteaux, dans les feutres. – De Guiche entre vive-
ment, – et s'arrête, tout d'un coup, reniflant. – Silence.

Scène 7

LES MÊMES, DE GUICHE

DE GUICHE

Cela sent bon.

UN CADET, *chantonnant d'un air détaché.*

To lo lo !…

DE GUICHE, *s'arrêtant et le regardant.*

Qu'avez-vous, vous ?… Vous êtes tout rouge !

LE CADET

Moi ?… Mais rien. C'est le sang. On va se battre : il bouge !

---

1. **Bourriche** : panier servant à contenir du gibier ou du poisson.

UN AUTRE

Poum… poum… poum…

DE GUICHE, *se retournant.*
Qu'est cela?

LE CADET, *légèrement gris.*
Rien! C'est une chanson!

Une petite…

DE GUICHE
Vous êtes gai, mon garçon!

LE CADET

2055 L'approche du danger!

DE GUICHE, *appelant Carbon*
de Castel-Jaloux, pour donner un ordre.
Capitaine! je…
Il s'arrête en le voyant.
Peste!

Vous avez bonne mine aussi!

CARBON, *cramoisi, et cachant une bouteille*
derrière son dos, avec un geste évasif.
Oh!…

DE GUICHE
Il me reste

Un canon que j'ai fait porter…
Il montre un endroit dans la coulisse.
là, dans ce coin,
Et vos hommes pourront s'en servir au besoin.

UN CADET, *se dandinant.*
Charmante attention!

UN AUTRE, *lui souriant gracieusement.*
Douce sollicitude!

DE GUICHE

2060 Ah çà ! mais ils sont fous ! –

Sèchement.

N'ayant pas l'habitude

Du canon, prenez garde au recul.

LE PREMIER CADET

Ah ! pfftt !

DE GUICHE, *allant à lui, furieux.*

Mais !...

LE CADET

Le canon des Gascons ne recule jamais !

DE GUICHE, *le prenant*
par le bras et le secouant.

Vous êtes gris !... De quoi ?

LE CADET, *superbe.*

De l'odeur de la poudre !

DE GUICHE, *haussant les épaules,*
le repousse et va vivement à Roxane.

Vite, à quoi daignez-vous, madame, vous résoudre ?

ROXANE

2065 Je reste !

DE GUICHE

Fuyez !

ROXANE

Non !

DE GUICHE

Puisqu'il en est ainsi,

Qu'on me donne un mousquet !

CARBON

Comment ?

DE GUICHE

Je reste aussi.

CYRANO

Enfin, Monsieur ! voilà de la bravoure pure !

PREMIER CADET

Seriez-vous un Gascon malgré votre guipure[1] ?

ROXANE

Quoi !...

DE GUICHE

Je ne quitte pas une femme en danger.

DEUXIÈME CADET, *au premier.*

2070 Dis donc ! Je crois qu'on peut lui donner à manger !

Toutes les victuailles reparaissent comme par enchantement.

DE GUICHE, *dont les yeux s'allument.*

Des vivres !

UN TROISIÈME CADET

Il en sort de sous toutes les vestes !

DE GUICHE, *se maîtrisant, avec hauteur.*

Est-ce que vous croyez que je mange vos restes ?

CYRANO, *saluant.*

Vous faites des progrès !

DE GUICHE, *fièrement, et à qui échappe*
sur le dernier mot une légère pointe d'accent.

Je vais me battre à jeun !

PREMIER CADET, *exultant de joie.*

À jeung ! Il vient d'avoir l'accent !

DE GUICHE, *riant.*

Moi !

---

1. **Guipure** : dentelle.

LE CADET

C'en est un !

Ils se mettent tous à danser.

CARBON DE CASTEL-JALOUX, *qui a disparu depuis*
un moment derrière le talus, reparaissant sur la crête.

2075 J'ai rangé mes piquiers[1], leur troupe est résolue !

Il montre une ligne de piques qui dépasse la crête.

DE GUICHE, *à Roxane, en s'inclinant.*

Acceptez-vous ma main pour passer leur revue ?…

Elle la prend, ils remontent vers le talus.
Tout le monde se découvre et les suit.

CHRISTIAN, *allant à Cyrano, vivement.*

Parle vite !

Au moment où Roxane paraît sur la crête, les lances disparaissent,
abaissées pour le salut, un cri s'élève : elle s'incline.

LES PIQUIERS, *au-dehors.*

Vivat[2] !

CHRISTIAN

Quel était ce secret ?…

CYRANO

Dans le cas où Roxane…

CHRISTIAN

Eh bien ?

CYRANO

Te parlerait

Des lettres ?…

CHRISTIAN

Oui, je sais !…

---

1. Piquiers : soldats armés d'une pique, arme plus courte que la lance.
2. Vivat : acclamation.

CYRANO
Ne fais pas la sottise

2080 De t'étonner…

CHRISTIAN
De quoi?

CYRANO
Il faut que je te dise!…
Oh! mon Dieu, c'est tout simple, et j'y pense aujourd'hui
En la voyant. Tu lui…

CHRISTIAN
Parle vite!

CYRANO
Tu lui…
As écrit plus souvent que tu ne crois.

CHRISTIAN
Hein?

CYRANO
Dame!
Je m'en étais chargé: j'interprétais ta flamme!
2085 J'écrivais quelquefois sans te dire: j'écris!

CHRISTIAN
Ah?

CYRANO
C'est tout simple!

CHRISTIAN
Mais comment t'y es-tu pris,
Depuis qu'on est bloqué pour?…

CYRANO
Oh!… avant l'aurore
Je pouvais traverser…

CHRISTIAN, *se croisant les bras.*
                    Ah! c'est tout simple encore?
Et qu'ai-je écrit de fois par semaine?… Deux? – Trois? –
2090   Quatre? –

                    CYRANO
          Plus.

                    CHRISTIAN
          Tous les jours?

                    CYRANO
                    Oui, tous les jours. – Deux fois.

                    CHRISTIAN, *violemment.*
Et cela t'enivrait, et l'ivresse était telle
Que tu bravais la mort…

          CYRANO, *voyant Roxane qui revient.*
                    Tais-toi! Pas devant elle!

                    Il rentre vivement dans sa tente.

Scène 8

ROXANE, CHRISTIAN; *au fond, allées et venues*
de CADETS. CARBON *et* DE GUICHE *donnent des ordres.*

          ROXANE, *courant à Christian.*
Et maintenant, Christian!…

          CHRISTIAN, *lui prenant les mains.*
                    Et maintenant, dis-moi
Pourquoi, par ces chemins effroyables, pourquoi
2095   À travers tous ces rangs de soudards et de reîtres[1],

───────────

1. Reîtres : soldats brutaux.

Tu m'as rejoint ici?

CHRISTIAN ROXANE

C'est à cause des lettres!

CHRISTIAN

Tu dis?

ROXANE

        Tant pis pour vous si je cours ces dangers!
Ce sont vos lettres qui m'ont grisée! Ah! songez
Combien depuis un mois vous m'en avez écrites,
2100 Et plus belles toujours!

CHRISTIAN

            Quoi! pour quelques petites
Lettres d'amour…

ROXANE

          Tais-toi! Tu ne peux pas savoir!
Mon Dieu, je t'adorais, c'est vrai, depuis qu'un soir,
D'une voix que je t'ignorais, sous ma fenêtre,
Ton âme commença de se faire connaître…
2105 Eh bien! tes lettres, c'est, vois-tu, depuis un mois,
Comme si tout le temps je l'entendais, ta voix
De ce soir-là, si tendre, et qui vous enveloppe!
Tant pis pour toi, j'accours. La sage Pénélope
Ne fût pas demeurée à broder sous son toit,
2110 Si le seigneur Ulysse eût écrit comme toi,
Mais pour le joindre, elle eût, aussi folle qu'Hélène[1],
Envoyé promener ses pelotons de laine!…

CHRISTIAN

Mais…

---

1. Pénélope : épouse d'Ulysse, qui filait la laine en attendant le retour de celui-ci; **Hélène** : éprise de Pâris, elle le suivit à Troie, ce qui déclencha la guerre avec les Grecs.

ROXANE

Je lisais, je relisais, je défaillais,
J'étais à toi. Chacun de ces petits feuillets
2115 Était comme un pétale envolé de ton âme.
On sent à chaque mot de ces lettres de flamme
L'amour puissant, sincère...

CHRISTIAN

Ah! sincère et puissant?

Cela se sent, Roxane?...

ROXANE

Oh! si cela se sent!

CHRISTIAN

Et vous venez?...

ROXANE

Je viens (ô mon Christian, mon maître!
2120 Vous me relèveriez si je voulais me mettre
À vos genoux, c'est donc mon âme que j'y mets,
Et vous ne pourrez plus la relever jamais!)
Je viens te demander pardon (et c'est bien l'heure
De demander pardon, puisqu'il se peut qu'on meure!)
2125 De t'avoir fait d'abord, dans ma frivolité,
L'insulte de t'aimer pour ta seule beauté!

CHRISTIAN, *avec épouvante.*

Ah! Roxane!

ROXANE

Et plus tard, mon ami, moins frivole,
– Oiseau qui saute avant tout à fait qu'il s'envole, –
Ta beauté m'arrêtant, ton âme m'entraînant,
2130 Je t'aimais pour les deux ensemble!...

CHRISTIAN

Et maintenant?

ROXANE

Eh bien! toi-même enfin l'emporte sur toi-même,
Et ce n'est plus que pour ton âme que je t'aime!

CHRISTIAN, *reculant.*

Ah! Roxane!

ROXANE

    Sois donc heureux. Car n'être aimé
Que pour ce dont on est un instant costumé,
2135 Doit mettre un cœur avide et noble à la torture;
Mais ta chère pensée efface ta figure,
Et la beauté par quoi tout d'abord tu me plus,
Maintenant j'y vois mieux... et je ne la vois plus!

CHRISTIAN

Oh!...

ROXANE

   Tu doutes encor d'une telle victoire?...

CHRISTIAN, *douloureusement.*

2140 Roxane!

ROXANE

    Je comprends, tu ne peux pas y croire,
À cet amour?...

CHRISTIAN

    Je ne veux pas de cet amour!
Moi, je veux être aimé plus simplement pour...

ROXANE

         Pour
Ce qu'en vous elles ont aimé jusqu'à cette heure?
Laissez-vous donc aimer d'une façon meilleure!

CHRISTIAN

2145 Non! c'était mieux avant!

250

ROXANE

Ah ! tu n'y entends rien !
C'est maintenant que j'aime mieux, que j'aime bien !
C'est ce qui te fait toi, tu m'entends, que j'adore,
Et moins brillant...

CHRISTIAN

Tais-toi !

ROXANE

Je t'aimerais encore !
Si toute ta beauté tout d'un coup s'envolait...

CHRISTIAN

2150   Oh ! ne dis pas cela !

ROXANE

Si ! je le dis !

CHRISTIAN

Quoi ? laid ?

ROXANE

Laid ! je le jure !

CHRISTIAN

Dieu !

ROXANE

Et ta joie est profonde ?

CHRISTIAN, *d'une voix étouffée.*

Oui...

ROXANE

Qu'as-tu ?

CHRISTIAN, *la repoussant doucement.*
Rien. Deux mots à dire : une seconde...

ROXANE

Mais?…

CHRISTIAN, *lui montrant*
un groupe de cadets, au fond.
À ces pauvres gens mon amour t'enleva :
Va leur sourire un peu puisqu'ils vont mourir… va !

ROXANE, *attendrie.*

2155　Cher Christian !…

Elle remonte vers les Gascons qui s'empressent
respectueusement autour d'elle.

Scène 9

CHRISTIAN, CYRANO ; *au fond* ROXANE
causant avec CARBON *et quelques* CADETS.

CHRISTIAN, *appelant vers la tente de Cyrano.*
Cyrano ?

CYRANO, *reparaissant,*
armé pour la bataille.
Qu'est-ce ? Te voilà blême !

CHRISTIAN

Elle ne m'aime plus !

CYRANO

Comment ?

CHRISTIAN

C'est toi qu'elle aime !

CYRANO

Non !

CHRISTIAN

Elle n'aime plus que mon âme !

CYRANO

Non !

CHRISTIAN

Si !

C'est donc bien toi qu'elle aime, – et tu l'aimes aussi !

CYRANO

Moi ?

CHRISTIAN

Je le sais.

CYRANO

C'est vrai.

CHRISTIAN

Comme un fou.

CYRANO

Davantage.

CHRISTIAN

2160 Dis-le-lui !

CYRANO

Non !

CHRISTIAN

Pourquoi ?

CYRANO

Regarde mon visage !

CHRISTIAN

Elle m'aimerait laid !

CYRANO

Elle te l'a dit !

CHRISTIAN

Là !

CYRANO

Ah ! je suis bien content qu'elle t'ait dit cela !
Mais va, va, ne crois pas cette chose insensée !
– Mon Dieu, je suis content qu'elle ait eu la pensée
2165   De la dire, – mais va, ne la prends pas au mot,
Va, ne deviens pas laid : elle m'en voudrait trop !

CHRISTIAN

C'est ce que je veux voir !

CYRANO

Non, non !

CHRISTIAN

Qu'elle choisisse !

Tu vas lui dire tout !

CYRANO

Non, non ! Pas ce supplice.

CHRISTIAN

Je tuerais ton bonheur parce que je suis beau ?
2170   C'est trop injuste !

CYRANO

Et moi, je mettrais au tombeau
Le tien parce que, grâce au hasard qui fait naître,
J'ai le don d'exprimer... ce que tu sens[1] peut-être ?

_____

1. **Ce que tu sens** : ce que tu ressens.

CHRISTIAN

Dis-lui tout!

CYRANO

Il s'obstine à me tenter, c'est mal!

CHRISTIAN

Je suis las de porter en moi-même un rival!

CYRANO

2175 Christian!

CHRISTIAN

Notre union – sans témoins – clandestine,
– Peut se rompre, – si nous survivons!

CYRANO

Il s'obstine!...

CHRISTIAN

Oui, je veux être aimé moi-même, ou pas du tout!
– Je vais voir ce qu'on fait, tiens! Je vais jusqu'au bout
Du poste; je reviens: parle, et qu'elle préfère
2180 L'un de nous deux!

CYRANO

Ce sera toi!

CHRISTIAN

Mais... je l'espère!

Il appelle.

Roxane!

CYRANO

Non! Non!

ROXANE, *accourant.*

Quoi?

CHRISTIAN

Cyrano vous dira

Une chose importante…

> *Elle va vivement à Cyrano. Christian sort.*

Scène 10

Roxane, Cyrano, *puis* Le Bret, Carbon
de Castel-Jaloux, Les cadets, Ragueneau, De Guiche, *etc.*

Roxane
Importante ?

Cyrano, *éperdu*[1].
Il s'en va !…

> *À Roxane.*

Rien !… Il attache, – oh ! Dieu ! vous devez le connaître ! –
De l'importance à rien !

Roxane, *vivement.*
Il a douté peut-être
2185 De ce que j'ai dit là ?… J'ai vu qu'il a douté !…

Cyrano, *lui prenant la main.*
Mais avez-vous bien dit, d'ailleurs, la vérité ?

Roxane
Oui, oui, je l'aimerais même…

> *Elle hésite une seconde.*

Cyrano, *souriant tristement.*
Le mot vous gêne
Devant moi ?

---

1. Éperdu : qui perd la raison.

ROXANE

Mais…

CYRANO

Il ne me fera pas de peine!

– Même laid?

ROXANE

Même laid!

Mousqueterie au-dehors.

Ah! tiens, on a tiré!

CYRANO, *ardemment.*

2190 Affreux?

ROXANE

Affreux!

CYRANO

Défiguré?

ROXANE
Défiguré!

CYRANO

Grotesque?

ROXANE
Rien ne peut me le rendre grotesque!

CYRANO

Vous l'aimeriez encore?

ROXANE
Et davantage presque!

CYRANO, *perdant la tête, à part.*
Mon Dieu, c'est vrai, peut-être, et le bonheur est là.

À Roxane.

Je… Roxane… écoutez!…

Le Bret, *entrant rapidement appelle à mi-voix.*

Cyrano !

Cyrano, *se retournant.*

Hein ?

Le Bret

Chut !

Il lui dit un mot tout bas.

Cyrano, *laissant échapper
la main de Roxane, avec un cri.*

Ah !...

Roxane

2195 Qu'avez-vous ?

Cyrano, *à lui-même, avec stupeur.*

C'est fini.

Détonations nouvelles.

Roxane

Quoi ? Qu'est-ce encore ? On tire ?

Elle remonte pour regarder au-dehors.

Cyrano

C'est fini, jamais plus je ne pourrai le dire !

Roxane, *voulant s'élancer.*

Que se passe-t-il ?

Cyrano, *vivement, l'arrêtant.*

Rien !

*Des cadets sont entrés, cachant quelque chose qu'ils portent, et ils forment
un groupe empêchant Roxane d'approcher.*

Roxane

Ces hommes ?

CYRANO, *l'éloignant.*

Laissez-les!…

ROXANE

Mais qu'alliez-vous me dire avant?…

CYRANO

Ce que j'allais

Vous dire?… rien, oh! rien, je le jure, madame!

Solennellement.

2200 Je jure que l'esprit de Christian, que son âme
Étaient…

Se reprenant avec terreur.

sont les plus grands…

ROXANE

Étaient?

Avec un grand cri.

Ah!…

Elle se précipite et écarte tout le monde.

CYRANO

C'est fini!

ROXANE, *voyant Christian
couché dans son manteau.*

Christian!

LE BRET, *à Cyrano.*

Le premier coup de feu de l'ennemi!

*Roxane se jette sur le corps de Christian. Nouveaux coups de feu.
Cliquetis. Rumeurs. Tambours.*

CARBON DE CASTEL-JALOUX, *l'épée au poing.*

C'est l'attaque! Aux mousquets!

Suivi des cadets, il passe de l'autre côté du talus.

ROXANE

Christian !

LA VOIX DE CARBON, *derrière le talus.*

Qu'on se dépêche !

ROXANE

Christian !

CARBON

Alignez-vous !

ROXANE

Christian !

CARBON

Mesurez… mèche !

Ragueneau est accouru, apportant de l'eau dans un casque.

CHRISTIAN, *d'une voix mourante.*

2205   Roxane !

CYRANO, *vite et bas à l'oreille de Christian,*
pendant que Roxane affolée trempe dans l'eau,
pour le panser, un morceau de linge arraché à sa poitrine.

J'ai tout dit. C'est toi qu'elle aime encor !

Christian ferme les yeux.

ROXANE

Quoi, mon amour ?

CARBON

Baguette haute !

ROXANE, *à Cyrano.*

Il n'est pas mort ?…

CARBON

Ouvrez la charge avec les dents !

ROXANE

Je sens sa joue
Devenir froide, là, contre la mienne !

CARBON

En joue !

ROXANE

Une lettre sur lui !

Elle l'ouvre.

Pour moi !

CYRANO, *à part.*

Ma lettre !

CARBON

Feu !

Mousqueterie. Cris. Bruit de bataille.

CYRANO, *voulant dégager sa main
que tient Roxane agenouillée.*

2210 Mais, Roxane, on se bat !

ROXANE, *le retenant.*

Restez encore un peu.
Il est mort. Vous étiez le seul à le connaître.

Elle pleure doucement.

– N'est-ce pas que c'était un être exquis, un être
Merveilleux ?

CYRANO, *debout, tête nue.*

Oui, Roxane.

ROXANE

Un poète inouï,

Adorable ?

CYRANO

Oui, Roxane.

ROXANE

Un esprit sublime?

CYRANO

Oui,

2215 Roxane!

ROXANE

Un cœur profond, inconnu du profane,
Une âme magnifique et charmante?

CYRANO, *fermement.*

Oui, Roxane!

ROXANE, *se jetant sur le corps de Christian.*

Il est mort!

CYRANO, *à part, tirant l'épée.*

Et je n'ai qu'à mourir aujourd'hui,
Puisque, sans le savoir, elle me pleure en lui!

Trompettes au loin.

DE GUICHE, *qui reparaît sur le talus, décoiffé,
blessé au front, d'une voix tonnante.*

C'est le signal promis! Des fanfares de cuivres!
2220 Les Français vont rentrer au camp avec des vivres!
Tenez encore un peu!

ROXANE

Sur sa lettre, du sang,

Des pleurs!

UNE VOIX, *au-dehors, criant.*

Rendez-vous!

VOIX DES CADETS

Non!

RAGUENEAU, *qui, grimpé sur son carrosse,*
regarde la bataille par-dessus le talus.
Le péril va croissant !

CYRANO, *à De Guiche, lui montrant Roxane.*
Emportez-la ! Je vais charger !

ROXANE, *baisant la lettre,*
d'une voix mourante.
Son sang ! ses larmes !…

RAGUENEAU, *sautant à bas du carrosse,*
pour courir vers elle.
Elle s'évanouit !

DE GUICHE, *sur le talus,*
aux cadets, avec rage.
Tenez bon !

UNE VOIX, *au-dehors.*
Bas les armes !

VOIX DES CADETS
2225   Non !

CYRANO, *à De Guiche.*
Vous avez prouvé, Monsieur, votre valeur :

Lui montrant Roxane.
Fuyez en la sauvant !

DE GUICHE, *qui court à Roxane*
et l'enlève dans ses bras.
Soit ! Mais on est vainqueur
Si vous gagnez du temps !

CYRANO
C'est bon !
Criant vers Roxane que de Guiche,
aidé de Ragueneau, emporte évanouie.

Adieu, Roxane!

Tumulte. Cris. Des cadets reparaissent blessés et viennent tomber en scène. Cyrano se précipitant au combat est arrêté sur la crête par Carbon de Castel-Jaloux, couvert de sang.

CARBON

Nous plions! J'ai reçu deux coups de pertuisane[1]!

CYRANO, *criant aux Gascons.*

Hardi! Reculès pas, drollos!

À Carbon, qu'il soutient.

N'ayez pas peur!

2230 J'ai deux morts à venger: Christian et mon bonheur!

Ils redescendent. Cyrano brandit la lance où est attaché le mouchoir de Roxane.

Flotte, petit drapeau de dentelle à son chiffre[2]!

Il la plante en terre; il crie aux cadets.

Toumbé dèssus! Escrasas lous!

Au fifre.

Un air de fifre!

Le fifre joue. Des blessés se relèvent. Des cadets dégringolant le talus, viennent se grouper autour de Cyrano et du petit drapeau. Le carrosse se couvre et se remplit d'hommes, se hérisse d'arquebuses, se transforme en redoute[3].

UN CADET, *paraissant, à reculons, sur la crête, se battant toujours, crie:*

Ils montent le talus!

et tombe mort.

CYRANO

On va les saluer!

---

1. Pertuisane : arme à plusieurs lames.
2. À son chiffre : marqué à ses initiales.
3. Redoute : ouvrage fortifié de forme carrée.

Le talus se couronne en un instant d'une rangée terrible d'ennemis.
Les grands étendards des Impériaux[1] se lèvent.

CYRANO

Feu!

Décharge générale.

CRI, *dans les rangs ennemis.*

Feu!

Riposte meurtrière. Les cadets tombent de tous côtés.

UN OFFICIER ESPAGNOL, *se découvrant.*
Quels sont ces gens qui se font tous tuer?

CYRANO, *récitant debout au milieu des balles.*
2235   Ce sont les cadets de Gascogne
De Carbon de Castel-Jaloux;
Bretteurs et menteurs sans vergogne…

Il s'élance, suivi de quelques survivants.
Ce sont les cadets…

Le reste se perd dans la bataille.

RIDEAU

---

1. **Impériaux** : soldats espagnols et servant donc l'empire des Habsbourg.

Un quiz pour commencer

Cochez les bonnes réponses.

❶ *Où l'action de l'acte IV se déroule-t-elle ?*
- ❏ À Paris.
- ❏ Dans la ville d'Arras.
- ❏ À l'extérieur d'Arras.

❷ *En quoi le siège d'Arras consiste-t-il ?*
- ❏ Les Espagnols assiègent les Français, qui assiègent eux-mêmes Arras.
- ❏ Les Français assiègent les Espagnols.
- ❏ Les Espagnols assiègent les Français.

❸ *Que fait Cyrano chaque matin ?*
- ❏ Il va se battre.
- ❏ Il va porter une lettre.
- ❏ Il va chercher des vivres.

❹ *Pourquoi les cadets se moquent-ils de De Guiche ?*

❒ Parce qu'il a des manières trop raffinées pour un champ de bataille.

❒ Parce qu'il n'est pas Gascon comme eux.

❒ Parce qu'il refuse de se battre.

❺ *De quoi le faux espion espagnol informe-t-il De Guiche ?*

❒ Que l'armée espagnole va se retirer.

❒ Que des renforts français arrivent.

❒ Que l'armée espagnole va attaquer le camp des cadets.

❻ *Quel personnage a accompagné Roxane à travers les lignes espagnoles ?*

❒ Sa duègne.

❒ Ragueneau.

❒ Lignière.

❼ *Qu'apporte Roxane aux cadets ?*

❒ De la nourriture.

❒ Des armes.

❒ Des vêtements.

❽ *Quelle découverte Christian fait-il à propos des lettres écrites par Cyrano à Roxane ?*

❒ Cyrano n'a écrit aucune lettre à sa place.

❒ Cyrano a écrit, comme prévu, quelques lettres à sa place.

❒ Cyrano a écrit à sa place bien plus de lettres que prévu.

Des questions pour aller plus loin

☛ Saisir le mélange des tons dans l'acte IV

Un sinistre tableau de la guerre

❶ Relevez, dans les trois premières scènes, le champ lexical de la faim, et en particulier les expressions figurées qui s'y rapportent. Au début de quel autre acte ce passage s'oppose-t-il?

❷ Relisez la didascalie qui ouvre l'acte IV. Quels éléments liés à la guerre et au siège sont visibles dans le décor?

❸ Dans la scène 1, quels types de phrases sont majoritaires? Quel est l'effet produit?

❹ Quel rôle tactique De Guiche assigne-t-il aux cadets pour l'assaut final? Pour quelles raisons?

❺ Dans la scène 4, expliquez comment Cyrano parvient à réjouir les cadets malgré le contexte sombre.

L'arrivée de Roxane, entre émotion et légèreté

❻ Selon vous, l'arrivée de Roxane dans le camp est-elle vraisemblable? Pourquoi la présence de Roxane est-elle indispensable dans cet acte?

❼ Expliquez cette exclamation de Cyrano: «Eh quoi! la précieuse était une héroïne?» (v. 1983).

❽ L'arrivée de Roxane redonne vie aux cadets à la scène 6. Montrez-le en relevant le champ lexical du mouvement et les énumérations de verbes d'action.

❾ Dans la scène 8, Roxane décrit à Christian les trois étapes de son amour pour lui: retrouvez-les et dites à quel(s) acte(s) de la pièce chacune d'elle correspond.

❿ Pourquoi la déclaration de Roxane révèle-t-elle à Christian, de façon contradictoire, que Roxane ne l'aime pas ?

Un double sacrifice

⓫ Dans les vers 2077-2092, à quels procédés Edmond Rostand a-t-il recours pour rendre le dialogue entre Cyrano et Christian vif et tendu ? Que nous apprennent les didascalies sur les réactions de Christian ?

⓬ Dans la réplique de Roxane (v. 2133-2138), montrez que les mots mis à la rime font comprendre que la beauté de Christian ne compte plus à ses yeux. Qu'est-ce que cela implique pour Christian d'une part, et pour Cyrano d'autre part ?

⓭ Dans la violente dispute qui oppose Christian à Cyrano (scène 9), qu'exige Christian ? D'après les vers 2175-2176, jusqu'où est-il prêt à aller ?

⓮ Relisez le vers 2196. Selon vous, qu'est-ce que Cyrano ne pourra plus jamais dire et pourquoi ? Par conséquent, qu'est-ce qui disparaît avec la mort de Christian ?

⓯ Montrez comment Cyrano se sacrifie aux vers 2205 à 2218. En quoi ce sacrifice révèle-t-il sa grandeur d'âme ?

Rappelez-vous !

D'abord sombre tableau de la guerre, l'acte IV offre ensuite une touche de légèreté grâce à la présence de Roxane et des cadets, avant de basculer définitivement dans une atmosphère tragique. La situation est douloureuse pour Christian : en pensant lui offrir la plus belle preuve d'amour, Roxane lui révèle en fait qu'elle ne l'aime pas. La fin de l'acte est cruelle également pour Cyrano : il est condamné au silence au moment même où l'amour de Roxane lui paraissait accessible. Cette atmosphère tragique culmine avec la mort de Christian.

De la lecture à l'écriture

Des mots pour mieux écrire

❶ *Expliquez la formation des adverbes suivants en indiquant pour chacun d'eux son radical et son suffixe:* furtivement, gaiement, sèchement, vivement.

❷ a. *Associez à chaque mot de l'exercice 1 son antonyme choisi parmi les mots suivants:* amicalement, doucement, mélancoliquement, ostensiblement.
b. *Employez chacun de ces adverbes dans une phrase qui en éclairera le sens.*

À vous d'écrire

❶ Alors que vous vous trouviez dans une situation délicate, quelqu'un est intervenu de façon inattendue et vous a miraculeusement sorti d'affaire. Faites le récit de cette anecdote.
Consigne. Vous expliquerez dans quelle situation vous vous trouviez, puis vous insisterez sur le caractère improbable de cette arrivée, ainsi que sur votre soulagement. Vous utiliserez les temps du récit au passé (imparfait, passé simple, plus-que-parfait). Votre récit couvrira une trentaine de lignes.

❷ Décrivez le carrosse chargé de vivres avec lequel Roxane se rend au camp des cadets. Votre description montrera comment les victuailles sont dissimulées dans toutes les parties du carrosse: reprenez pour cela les indications fournies par le texte des vers 2025 à 2044 (p. 238-240), et imaginez d'autres détails.
Consigne. Vous emploierez largement le vocabulaire de la nourriture ainsi que les champs lexicaux liés aux cinq sens. Votre description sera rédigée aux temps du passé et occupera au moins une vingtaine de lignes.

Du texte à l'image

➡ Mise en scène de *Cyrano de Bergerac* par Denis Podalydès
à la Comédie-Française, 2006.
(Image reproduite au verso de la couverture, en fin d'ouvrage.)

👁 *Lire l'image*

❶ Qu'est-ce qui, dans le décor, les costumes et les accessoires, indique
qu'il s'agit d'une scène de guerre ?

❷ Observez le travail sur les couleurs dans cette mise en scène:
comment sont-elles utilisées dans les uniformes des deux personnages
et dans le décor ?

❸ Que peut symboliser la position des deux rivaux, réunis autour de la
lettre ?

📄 *Comparer le texte et l'image*

❹ À quel moment précis de l'acte la photographie vous semble-t-elle
correspondre ? Quel objet vous permet de le savoir ?

❺ Relisez la didascalie initiale de l'acte IV. Sur cette photographie, quels
éléments du décor ne sont pas indiqués par le texte ? Que peuvent-ils
symboliser et apporter à la mise en scène ?

✏ *À vous de créer*

❻ En vous appuyant sur votre lecture de l'acte IV, imaginez
le monologue intérieur de Christian à ce moment précis de la pièce.
Vous rédigerez une vingtaine de lignes au moins.

ACTE V
La gazette de Cyrano

Quinze ans après, en 1655. Le parc du couvent que les Dames de la Croix occupaient à Paris.

Superbes ombrages. À gauche, la maison ; vaste perron[1] sur lequel ouvrent plusieurs portes. Un arbre énorme au milieu de la scène, isolé au milieu d'une petite place ovale. À droite, premier plan, parmi de grands buis, un banc de pierre demi-circulaire.

Tout le fond du théâtre est traversé par une allée de marronniers qui aboutit à droite, quatrième plan, à la porte d'une chapelle entrevue parmi les branches. À travers le double rideau d'arbres de cette allée, on aperçoit des fuites de pelouses, d'autres allées, des bosquets, les profondeurs du parc, le ciel.

La chapelle ouvre une porte latérale sur une colonnade enguirlandée de vigne rougie, qui vient se perdre à droite, au premier plan, derrière les buis.

C'est l'automne. Toute la frondaison[2] est rousse au-dessus des pelouses fraîches. Taches sombres des buis et des ifs restés verts. Une plaque de feuilles jaunes sous chaque arbre. Les feuilles jonchent toute la scène, craquent sous les pas dans les allées, couvrent à demi le perron et les bancs.

Entre le banc de droite et l'arbre, un grand métier à broder devant lequel une petite chaise a été apportée. Paniers pleins d'écheveaux[3] et de pelotons. Tapisserie commencée.

Au lever du rideau, des sœurs vont et viennent dans le parc ; quelques-unes sont assises sur le banc autour d'une religieuse plus âgée. Des feuilles tombent.

---

1. **Perron** : escalier extérieur devant une porte d'entrée.
2. **Frondaison** : feuillage.
3. **Écheveaux** : ensembles de fils tournés les uns sur les autres.

Scène 1

Mère Marguerite, Sœur Marthe,
Sœur Claire, Les sœurs

Sœur Marthe, *à Mère Marguerite.*
Sœur Claire a regardé deux fois comment allait
2240 Sa cornette, devant la glace.

Mère Marguerite, *à Sœur Claire.*
C'est très laid.

Sœur Claire
Mais sœur Marthe a repris un pruneau de la tarte,
Ce matin : je l'ai vu.

Mère Marguerite, *à Sœur Marthe.*
C'est très vilain, sœur Marthe.

Sœur Claire
Un tout petit regard !

Sœur Marthe
Un tout petit pruneau !

Mère Marguerite, *sévèrement.*
Je le dirai, ce soir, à monsieur Cyrano.

Sœur Claire, *épouvantée.*
2245 Non ! il va se moquer !

Sœur Marthe
Il dira que les nonnes[1]
Sont très coquettes !

Sœur Claire
Très gourmandes !

---

1. Nonnes : religieuses vivant dans un monastère.

MÈRE MARGUERITE, *souriant.*

Et très bonnes[1].

SŒUR CLAIRE

N'est-ce pas, Mère Marguerite de Jésus,
Qu'il vient, le samedi, depuis dix ans !

MÈRE MARGUERITE

Et plus !

Depuis que sa cousine à nos béguins[2] de toile
2250 Mêla le deuil mondain de sa coiffe de voile,
Qui chez nous vint s'abattre, il y a quatorze ans,
Comme un grand oiseau noir parmi des oiseaux blancs !

SŒUR MARTHE

Lui seul, depuis qu'elle a pris chambre dans ce cloître[3],
Sait distraire un chagrin qui ne veut pas décroître.

TOUTES LES SŒURS

2255 Il est si drôle ! – C'est amusant quand il vient !
– Il nous taquine ! – Il est gentil ! – Nous l'aimons bien !
– Nous fabriquons pour lui des pâtes d'angélique !

SŒUR MARTHE

Mais enfin, ce n'est pas un très bon catholique !

SŒUR CLAIRE

Nous le convertirons.

LES SŒURS

Oui ! Oui !

MÈRE MARGUERITE

Je vous défends

2260 De l'entreprendre[4] encor sur ce point, mes enfants.

---

1. Bonnes : bienveillantes.
2. Béguins : coiffes des femmes qui vivaient dans les couvents sans être religieuses.
3. Cloître : dans un monastère, galerie couverte entourant un jardin ou une cour.
4. L'entreprendre : lui parler avec insistance.

Ne le tourmentez pas : il viendrait moins peut-être !

SŒUR MARTHE

Mais… Dieu !…

MÈRE MARGUERITE

Rassurez-vous : Dieu doit bien le connaître.

SŒUR MARTHE

Mais chaque samedi, quand il vient d'un air fier,
Il me dit en entrant : « Ma sœur, j'ai fait gras[1], hier ! »

MÈRE MARGUERITE

2265 Ah ! il vous dit cela ?… Eh bien ! la fois dernière
Il n'avait pas mangé depuis deux jours.

SŒUR MARTHE

Ma Mère !

MÈRE MARGUERITE

Il est pauvre.

SŒUR MARTHE

Qui vous l'a dit ?

MÈRE MARGUERITE

Monsieur Le Bret.

SŒUR MARTHE

On ne le secourt pas ?

MÈRE MARGUERITE

Non, il se fâcherait.

Dans une allée du fond, on voit apparaître Roxane, vêtue de noir, avec la coiffe des veuves et de longs voiles ; de Guiche, magnifique et vieillissant, marche auprès d'elle. Ils vont à pas lents. Mère Marguerite se lève.

– Allons, il faut rentrer… Madame Madeleine,
2270 Avec un visiteur, dans le parc se promène.

_____

1. **J'ai fait gras** : j'ai mangé en abondance.

SŒUR MARTHE, *bas à Sœur Claire.*
C'est le duc-maréchal de Grammont?

SŒUR CLAIRE, *regardant.*
Oui, je crois.

SŒUR MARTHE
Il n'était plus venu la voir depuis des mois!

LES SŒURS
Il est très pris! – La cour! – Les camps!

SŒUR CLAIRE
Les soins du monde!

Elles sortent. De Guiche et Roxane descendent en silence et s'arrêtent près du métier. Un temps.

Scène 2

ROXANE, LE DUC DE GRAMMONT *ancien comte de Guiche,*
puis LE BRET *et* RAGUENEAU.

LE DUC
Et vous demeurerez ici, vainement blonde,

2275   Toujours en deuil?

ROXANE
Toujours.

LE DUC
Aussi fidèle?

ROXANE
Aussi.

LE DUC, *après un temps.*
Vous m'avez pardonné?

ROXANE, *simplement,*
regardant la croix du couvent.
Puisque je suis ici.

Nouveau silence.

LE DUC

Vraiment c'était un être?…

ROXANE
Il fallait le connaître!

LE DUC

Ah! Il fallait?… Je l'ai trop peu connu, peut-être!
… Et son dernier billet, sur votre cœur, toujours?

ROXANE
2280 Comme un doux scapulaire[1], il pend à ce velours.

LE DUC

Même mort vous l'aimez?

ROXANE
Quelquefois il me semble
Qu'il n'est mort qu'à demi, que nos cœurs sont ensemble,
Et que son amour flotte, autour de moi, vivant!

LE DUC, *après un silence encore.*
Est-ce que Cyrano vient vous voir?

ROXANE
Oui, souvent.
2285 – Ce vieil ami, pour moi, remplace les gazettes.
Il vient; c'est régulier; sous cet arbre où vous êtes
On place son fauteuil, s'il fait beau, je l'attends
En brodant; l'heure sonne, au dernier coup, j'entends
– Car je ne tourne plus même le front! – sa canne
2290 Descendre le perron; il s'assied; il ricane

—————————
1. Scapulaire : petit morceau d'étoffe bénie.

De ma tapisserie éternelle ; il me fait
La chronique de la semaine, et...

Le Bret paraît sur le perron.

Tiens, Le Bret !

Le Bret descend.

Comment va notre ami ?

Le Bret
Mal.

Le duc
Oh !

Roxane, *au duc.*
Il exagère.

Le Bret
Tout ce que j'ai prédit : l'abandon, la misère !...
2295   Ses épîtres lui font des ennemis nouveaux !
Il attaque les faux nobles, les faux dévots,
Les faux braves, les plagiaires[1], – tout le monde.

Roxane
Mais son épée inspire une terreur profonde.
On ne viendra jamais à bout de lui.

Le duc, *hochant la tête.*
Qui sait ?

Le Bret
2300   Ce que je crains, ce n'est pas les attaques, c'est
La solitude, la famine, c'est Décembre
Entrant à pas de loup dans son obscure chambre :
Voilà les spadassins qui plutôt le tueront !
– Il serre chaque jour, d'un cran, son ceinturon.
2305   Son pauvre nez a pris des tons de vieil ivoire.
Il n'a plus qu'un petit habit de serge noire.

_____

1. **Plagiaires** : personnes qui copient l'œuvre originale d'une autre.

LE DUC

Ah ! celui-là n'est pas parvenu[1] ! – C'est égal,
Ne le plaignez pas trop.

LE BRET, *avec un sourire amer.*
Monsieur le maréchal…

LE DUC

Ne le plaignez pas trop : il a vécu sans pactes[2],
2310 Libre dans sa pensée autant que dans ses actes.

LE BRET, *de même.*
Monsieur le duc !…

LE DUC, *hautainement.*
Je sais, oui : j'ai tout ; il n'a rien…
Mais je lui serrerais bien volontiers la main.
Saluant Roxane.
Adieu.

ROXANE

Je vous conduis.
Le duc salue Le Bret et se dirige avec Roxane vers le perron.

LE DUC, *s'arrêtant, tandis qu'elle monte.*
Oui, parfois, je l'envie.
– Voyez-vous, lorsqu'on a trop réussi sa vie,
2315 On sent, – n'ayant rien fait, mon Dieu, de vraiment mal ! –
Mille petits dégoûts de soi, dont le total
Ne fait pas un remords, mais une gêne obscure ;
Et les manteaux de duc traînent dans leur fourrure,
Pendant que des grandeurs on monte les degrés,
2320 Un bruit d'illusions sèches et de regrets,
Comme, quand vous montez lentement vers ces portes,
Votre robe de deuil traîne des feuilles mortes.

---

1. Parvenu : qui s'est hissé à un haut rang en partant d'une origine modeste.
2. Sans pactes : sans compromissions.

ROXANE, *ironique.*

Vous voilà bien rêveur?...

LE DUC

Eh! oui!

Au moment de sortir, brusquement.

Monsieur le Bret!

À Roxane.

Vous permettez? Un mot.

Il va à Le Bret, et à mi-voix.

C'est vrai: nul n'oserait

2325 Attaquer votre ami; mais beaucoup l'ont en haine;
Et quelqu'un me disait, hier, au jeu, chez la Reine:
«Ce Cyrano pourrait mourir d'un accident.»

LE BRET

Ah?

LE DUC

Oui. Qu'il sorte peu. Qu'il soit prudent.

LE BRET, *levant les bras au ciel.*

Prudent!

Il va venir. Je vais l'avertir. Oui, mais!...

ROXANE, *qui est restée sur le perron,*
à une sœur qui s'avance vers elle.

Qu'est-ce?

LA SŒUR

2330 Ragueneau veut vous voir, Madame.

ROXANE

Qu'on le laisse

Entrer.

Au duc et à Le Bret.

Il vient crier misère. Étant un jour

Parti pour être auteur, il devint tour à tour
Chantre[1]…

LE BRET

Étuviste[2]…

ROXANE

Acteur…

LE BRET

Bedeau[3]…

ROXANE

Perruquier…

LE BRET

Maître
De théorbe…

ROXANE

Aujourd'hui que pourrait-il bien être ?

RAGUENEAU, *entrant précipitamment.*

2335 Ah ! Madame !

Il aperçoit Le Bret.

Monsieur !

ROXANE, *souriant.*

Racontez vos malheurs

À Le Bret. Je reviens.

RAGUENEAU

Mais, Madame…

Roxane sort sans l'écouter, avec le duc. Il redescend vers Le Bret.

---

1. Chantre : personne qui dirige les chants à l'église.
2. Étuviste : personne qui tient un établissement de bains publics.
3. Bedeau : personne qui s'occupe des tâches courantes dans une église.

Scène 3

LE BRET, RAGUENEAU

RAGUENEAU

D'ailleurs,
Puisque vous êtes là, j'aime mieux qu'elle ignore !
– J'allais voir votre ami tantôt. J'étais encore
À vingt pas de chez lui… quand je le vois de loin,
2340 Qui sort. Je veux le joindre. Il va tourner le coin
De la rue… et je cours… lorsque d'une fenêtre
Sous laquelle il passait – est-ce un hasard ?… peut-être ! –
Un laquais laisse choir une pièce de bois.

LE BRET

Les lâches !… Cyrano !

RAGUENEAU

J'arrive et je le vois…

LE BRET

2345 C'est affreux !

RAGUENEAU

Notre ami, Monsieur, notre poète,
Je le vois, là, par terre, un grand trou dans la tête !

LE BRET

Il est mort ?

RAGUENEAU

Non ! mais… Dieu ! je l'ai porté chez lui.
Dans sa chambre… Ah ! sa chambre ! il faut voir ce réduit[1] !

LE BRET

Il souffre ?

_____

1. **Réduit** : petit logement.

RAGUENEAU

Non, Monsieur, il est sans connaissance.

LE BRET

2350 Un médecin?

RAGUENEAU

Il en vint un par complaisance[1].

LE BRET

Mon pauvre Cyrano! – Ne disons pas cela
Tout d'un coup à Roxane! – Et ce docteur?

RAGUENEAU

Il a

Parlé, – je ne sais plus, – de fièvre, de méninges[2]!…
Ah! si vous le voyiez – la tête dans des linges!…
2355 Courons vite! – Il n'y a personne à son chevet! –
C'est qu'il pourrait mourir, Monsieur, s'il se levait!

LE BRET, *l'entraînant vers la droite.*

Passons par là! Viens, c'est plus court! Par la chapelle!

ROXANE, *paraissant sur le perron*
et voyant Le Bret s'éloigner par la colonnade
qui mène à la petite porte de la chapelle.

Monsieur Le Bret!

Le Bret et Ragueneau se sauvent sans répondre.

Le Bret s'en va quand on l'appelle?

C'est quelque histoire encor de ce bon Ragueneau!

Elle descend le perron.

---

1. Par complaisance : gratuitement.
2. Méninges : enveloppes de l'appareil cérébral.

Scène 4

ROXANE *seule, puis* DEUX SŒURS, *un instant.*

ROXANE

2360 Ah! que ce dernier jour de septembre est donc beau!
Ma tristesse sourit. Elle qu'Avril offusque[1],
Se laisse décider par l'automne, moins brusque.

Elle s'assied à son métier. Deux sœurs sortent de la maison et apportent un grand fauteuil sous l'arbre.

Ah! voici le fauteuil classique où vient s'asseoir
Mon vieil ami!

SŒUR MARTHE
Mais c'est le meilleur du parloir[2]!

ROXANE

2365 Merci, ma sœur.

Les sœurs s'éloignent.

Il va venir.

Elle s'installe. On entend sonner l'heure.
Là... l'heure sonne.

– Mes écheveaux! – L'heure a sonné? Ceci m'étonne!
Serait-il en retard pour la première fois?
La sœur tourière[3] doit – mon dé?... là, je le vois! –
L'exhorter[4] à la pénitence.

Un temps.
Elle l'exhorte!

2370 – Il ne peut plus tarder. – Tiens! une feuille morte! –

Elle repousse du doigt la feuille tombée sur son métier.

---

1. Offusque : déplaît.
2. Parloir : lieu où les religieux rencontrent les personnes extérieures au couvent.
3. Sœur tourière : religieuse chargée de communiquer avec l'extérieur du couvent.
4. L'exhorter : l'encourager.

D'ailleurs, rien ne pourrait. – Mes ciseaux?… dans mon sac! –
L'empêcher de venir!

UNE SŒUR, *paraissant sur le perron.*

Monsieur de Bergerac.

Scène 5

ROXANE, CYRANO *et, un moment,* SŒUR MARTHE.

ROXANE, sans se retourner.

Qu'est-ce que je disais?…

Et elle brode. Cyrano, très pâle, le feutre enfoncé sur les yeux, paraît. La sœur qui l'a introduit rentre. Il se met à descendre le perron lentement, avec un effort visible pour se tenir debout, et en s'appuyant sur sa canne. Roxane travaille à sa tapisserie.

Ah! ces teintes fanées…

Comment les rassortir?

À Cyrano, sur un ton d'amicale gronderie.

Depuis quatorze années,

2375 Pour la première fois, en retard!

CYRANO, qui est parvenu au fauteuil
et s'est assis, d'une voix gaie contrastant avec son visage.

Oui, c'est fou!

J'enrage. Je fus mis en retard, vertuchou!…

ROXANE

Par?…

CYRANO

Par une visite assez inopportune[1].

---

1. **Inopportune** : dérangeante.

ROXANE, *distraite, travaillant.*

Ah! oui! quelque fâcheux?

CYRANO

Cousine, c'était une

Fâcheuse.

ROXANE

Vous l'avez renvoyée?

CYRANO

Oui, j'ai dit:

2380 Excusez-moi, mais c'est aujourd'hui samedi,
Jour où je dois me rendre en certaine demeure;
Rien ne m'y fait manquer: repassez dans une heure!

ROXANE, *légèrement.*

Eh bien! cette personne attendra pour vous voir:
Je ne vous laisse pas partir avant ce soir.

CYRANO, *avec douceur.*

2385 Peut-être un peu plus tôt faudra-t-il que je parte.

Il ferme les yeux et se tait un instant. Sœur Marthe traverse le parc de la chapelle au perron. Roxane l'aperçoit, lui fait un petit signe de tête.

ROXANE, *à Cyrano.*

Vous ne taquinez pas sœur Marthe?

CYRANO, *vivement, ouvrant les yeux.*

Si!

Avec une grosse voix comique.

Sœur Marthe!

Approchez!

La sœur glisse vers lui.

Ha! ha! ha! Beaux yeux toujours baissés!

SŒUR MARTHE, *levant les yeux en souriant.*

Mais…

Elle voit sa figure et fait un geste d'étonnement.

Oh !

CYRANO, *bas, lui montrant Roxane.*

Chut ! Ce n'est rien ! –

D'une voix fanfaronne. Haut.

Hier, j'ai fait gras.

SŒUR MARTHE

Je sais.

À part.

C'est pour cela qu'il est si pâle !

Vite et bas.

Au réfectoire

2390 Vous viendrez tout à l'heure, et je vous ferai boire
Un grand bol de bouillon… Vous viendrez ?

CYRANO

Oui, oui, oui.

SŒUR MARTHE

Ah ! vous êtes un peu raisonnable, aujourd'hui !

ROXANE, *qui les entend chuchoter.*

Elle essaye de vous convertir ?

SŒUR MARTHE

Je m'en garde !

CYRANO

Tiens, c'est vrai ! Vous toujours si saintement bavarde,
2395 Vous ne me prêchez pas ? c'est étonnant, ceci !…

Avec une fureur bouffonne.

Sabre de bois ! Je veux vous étonner aussi !
Tenez, je vous permets…

Il a l'air de chercher une bonne taquinerie, et de la trouver.

Ah ! la chose est nouvelle ?…

De… de prier pour moi, ce soir, à la chapelle.

ROXANE

Oh ! oh !

CYRANO, *riant.*

Sœur Marthe est dans la stupéfaction !

SŒUR MARTHE, *doucement.*

2400 Je n'ai pas attendu votre permission.

Elle rentre.

CYRANO, *revenant à Roxane,*
penchée sur son métier.

Du diable si je peux jamais, tapisserie,
Voir ta fin !

ROXANE

J'attendais cette plaisanterie.

À ce moment un peu de brise fait tomber les feuilles.

CYRANO

Les feuilles !

ROXANE, *levant la tête,*
et regardant au loin, dans les allées.

Elles sont d'un blond vénitien.

Regardez-les tomber.

CYRANO

Comme elles tombent bien !

2405 Dans ce trajet si court de la branche à la terre,
Comme elles savent mettre une beauté dernière,
Et malgré leur terreur de pourrir sur le sol,
Veulent que cette chute ait la grâce d'un vol !

ROXANE

Mélancolique, vous ?

CYRANO, *se reprenant.*

Mais pas du tout, Roxane !

ROXANE

2410 Allons, laissez tomber les feuilles de platane…
Et racontez un peu ce qu'il y a de neuf.
Ma gazette?

CYRANO

Voici!

ROXANE

Ah!

CYRANO, *de plus en plus pâle,*
et luttant contre la douleur.

Samedi, dix-neuf:
Ayant mangé huit fois du raisiné[1] de Cette,
Le Roi fut pris de fièvre; à deux coups de lancette
2415 Son mal fut condamné pour lèse-majesté[2],
Et cet auguste pouls n'a plus fébricité[3]!
Au grand bal, chez la reine, on a brûlé, dimanche,
Sept cent soixante-trois flambeaux de cire blanche;
Nos troupes ont battu, dit-on, Jean l'Autrichien;
2420 On a pendu quatre sorciers; le petit chien
De madame d'Athis a dû prendre un clystère[4]…

ROXANE

Monsieur de Bergerac, voulez-vous bien vous taire!

CYRANO

Lundi… rien. Lygdamire a changé d'amant.

ROXANE

Oh!

CYRANO, *dont le visage*
s'altère de plus en plus.

Mardi, toute la cour est à Fontainebleau.

---

1. Raisiné : confiture de jus de raisin.
2. Pour lèse-majesté : pour avoir commis un acte offensant le roi.
3. Fébricité : fait d'être fébrile, d'avoir de la fièvre.
4. Clystère : lavement intestinal.

2425 Mercredi, la Montglat dit au comte de Fiesque :
Non ! Jeudi : Mancini[1], reine de France, – ou presque !
Le vingt-cinq, la Montglat à de Fiesque dit : Oui ;
Et samedi, vingt-six…

> *Il ferme les yeux. Sa tête tombe. Silence.*

> **ROXANE,** *surprise de ne plus rien entendre,*
> *se retourne, le regarde, et se levant effrayée.*
> Il est évanoui ?

> *Elle court vers lui en criant.*

Cyrano !

> **CYRANO,** *rouvrant les yeux, d'une voix vague.*
> Qu'est-ce ?… Quoi ?…

*Il voit Roxane penchée sur lui et, vivement, assurant son chapeau sur
sa tête et reculant avec effroi dans son fauteuil.*

> Non ! non ! je vous assure.

2430 Ce n'est rien. Laissez-moi !

> **ROXANE**
> Pourtant…

> **CYRANO**
> C'est ma blessure

D'Arras… qui… quelquefois… vous savez…

> **ROXANE**
> Pauvre ami !

> **CYRANO**
Mais ce n'est rien. Cela va finir.

> *Il sourit avec effort.*
> C'est fini.

> **ROXANE,** *debout près de lui.*
Chacun de nous a sa blessure : j'ai la mienne.

---

1. Mancini : Marie Mancini fut l'amour de jeunesse contrarié de Louis XIV.

Toujours vive, elle est là, cette blessure ancienne,

Elle met la main sur sa poitrine.

435 Elle est là, sous la lettre au papier jaunissant
Où l'on peut voir encor des larmes et du sang !

Le crépuscule commence à venir.

CYRANO

Sa lettre !… N'aviez-vous pas dit qu'un jour, peut-être,
Vous me la feriez lire ?

ROXANE

Ah ! vous voulez ?… Sa lettre ?

CYRANO

Oui… Je veux… Aujourd'hui…

ROXANE, *lui donnant*
le sachet pendu a son cou.
Tenez !

CYRANO, *le prenant.*
Je peux ouvrir ?

ROXANE

440 Ouvrez… lisez !…

Elle revient à son métier, le replie, range ses laines.

CYRANO, *lisant.*
« Roxane, adieu, je vais mourir !…»

ROXANE, *s'arrêtant, étonnée.*
Tout haut ?

CYRANO, *lisant.*
« C'est pour ce soir, je crois, ma bien-aimée !
J'ai l'âme lourde encor d'amour inexprimée,
Et je meurs ! jamais plus, jamais mes yeux grisés,
Mes regards dont c'était… »

ROXANE

Comme vous la lisez,

2445 Sa lettre !

CYRANO, *continuant.*

« *dont c'était les frémissantes fêtes,*
Ne baiseront au vol les gestes que vous faites;
J'en revois un petit qui vous est familier
Pour toucher votre front, et je voudrais crier… »

ROXANE, *troublée.*

Comme vous la lisez, – cette lettre !

La nuit vient insensiblement.

CYRANO

« *Et je crie :*

2450 *Adieu !…* »

ROXANE

Vous la lisez…

CYRANO

« *Ma chère, ma chérie,*

Mon trésor… »

ROXANE, *rêveuse.*

D'une voix…

CYRANO

« *Mon amour !…* »

ROXANE

D'une voix…

Elle tressaille.

Mais… que je n'entends pas pour la première fois !

Elle s'approche tout doucement, sans qu'il s'en aperçoive, passe derrière le
fauteuil, se penche sans bruit, regarde la lettre. – L'ombre augmente.

CYRANO

« *Mon cœur ne vous quitta jamais une seconde,*
Et je suis et serai jusque dans l'autre monde
2455 *Celui qui vous aima sans mesure, celui…* »

ROXANE, *lui posant la main sur l'épaule.*

Comment pouvez-vous lire à présent? Il fait nuit.

Il tressaille, se retourne, la voit là tout près, fait un geste d'effroi, baisse
la tête. Un long silence. Puis, dans l'ombre complètement venue, elle dit
avec lenteur, joignant les mains:

Et pendant quatorze ans, il a joué ce rôle
D'être le vieil ami qui vient pour être drôle!

CYRANO

Roxane!

ROXANE

C'était vous.

CYRANO

Non, non, Roxane, non!

ROXANE

2460 J'aurais dû deviner quand il disait mon nom!

CYRANO

Non! ce n'était pas moi!

ROXANE

C'était vous!

CYRANO

Je vous jure…

ROXANE

J'aperçois toute la généreuse imposture:
Les lettres, c'était vous…

> **CYRANO**
>
> Non !

> **ROXANE**
>
> Les mots chers et fous,

C'était vous…

> **CYRANO**
>
> Non !

> **ROXANE**
>
> La voix dans la nuit, c'était vous !

> **CYRANO**

2465 Je vous jure que non !

> **ROXANE**
>
> L'âme, c'était la vôtre !

> **CYRANO**

Je ne vous aimais pas.

> **ROXANE**
>
> Vous m'aimiez !

> **CYRANO,** *se débattant.*
>
> C'était l'autre !

> **ROXANE**

Vous m'aimiez !

> **CYRANO,** *d'une voix qui faiblit.*
>
> Non !

> **ROXANE**
>
> Déjà vous le dites plus bas !

> **CYRANO**

Non, non, mon cher amour, je ne vous aimais pas !

ROXANE

Ah! que de choses qui sont mortes… qui sont nées!
2470 – Pourquoi vous être tu pendant quatorze années,
Puisque sur cette lettre où, lui, n'était pour rien,
Ces pleurs étaient de vous?

CYRANO, lui tendant la lettre.
Ce sang était le sien.

ROXANE

Alors pourquoi laisser ce sublime silence
Se briser aujourd'hui?

CYRANO
Pourquoi?…

Le Bret et Ragueneau entrent en courant.

Scène 6

LES MÊMES, LE BRET et RAGUENEAU

LE BRET
Quelle imprudence!

2475 Ah! j'en étais bien sûr! il est là!

CYRANO, souriant et se redressant.
Tiens, parbleu!

LE BRET

Il s'est tué, Madame, en se levant!

ROXANE
Grand Dieu!

Mais tout à l'heure alors… cette faiblesse?… cette?…

CYRANO

C'est vrai ! je n'avais pas terminé ma gazette :
… Et samedi, vingt-six, une heure avant dîné,
2480 Monsieur de Bergerac est mort assassiné.

Il se découvre ; on voit sa tête entourée de linges.

ROXANE

Que dit-il ? – Cyrano ! – Sa tête enveloppée !…
Ah ! que vous a-t-on fait ? Pourquoi ?

CYRANO

                                « D'un coup d'épée,
Frappé par un héros, tomber la pointe au cœur ! »…
– Oui, je disais cela !… Le destin est railleur !…
2485 Et voilà que je suis tué dans une embûche,
Par-derrière, par un laquais, d'un coup de bûche !
C'est très bien. J'aurai tout manqué, même ma mort.

RAGUENEAU

Ah ! Monsieur !…

CYRANO

                Ragueneau, ne pleure pas si fort !…

Il lui tend la main.

Qu'est-ce que tu deviens, maintenant, mon confrère ?

RAGUENEAU, *à travers ses larmes.*

2490 Je suis moucheur de… de… chandelles, chez Molière.

CYRANO

Molière !

RAGUENEAU

              Mais je veux le quitter, dès demain ;
Oui, je suis indigné !… Hier, on jouait Scapin[1],
Et j'ai vu qu'il vous a pris une scène !

---

1. Scapin : allusion aux *Fourberies de Scapin* de Molière (1671).

LE BRET
Entière !

RAGUENEAU
Oui, Monsieur, le fameux : « Que diable allait-il faire ?... »

LE BRET, *furieux.*
2495   Molière te l'a pris !

CYRANO
Chut ! chut ! Il a bien fait !

À *Ragueneau.*

La scène, n'est-ce pas, produit beaucoup d'effet ?

RAGUENEAU, *sanglotant.*
Ah ! Monsieur, on riait ! on riait !

CYRANO
Oui, ma vie
Ce fut d'être celui qui souffle, – et qu'on oublie !

À *Roxane.*

Vous souvient-il du soir où Christian vous parla
2500   Sous le balcon ? Eh bien ! toute ma vie est là :
Pendant que je restais en bas, dans l'ombre noire,
D'autres montaient cueillir le baiser de la gloire !
C'est justice, et j'approuve au seuil de mon tombeau :
Molière a du génie et Christian était beau !

*À ce moment, la cloche de la chapelle ayant tinté, on voit passer au
fond, dans l'allée, les religieuses se rendant à l'office.*

2505   Qu'elles aillent prier puisque leur cloche sonne !

ROXANE, *se relevant pour appeler.*
Ma sœur ! ma sœur !

CYRANO, *la retenant.*
Non ! non ! n'allez chercher personne :
Quand vous reviendriez, je ne serais plus là.

Les religieuses sont entrées dans la chapelle, on entend l'orgue.

Il me manquait un peu d'harmonie… en voilà.

ROXANE

Je vous aime, vivez !

CYRANO

Non ! car c'est dans le conte

2510 Que lorsqu'on dit : Je t'aime ! au prince plein de honte,
Il sent sa laideur fondre à ces mots de soleil…
Mais tu t'apercevrais que je reste pareil.

ROXANE

J'ai fait votre malheur ! moi ! moi !

CYRANO

Vous ?… au contraire !
J'ignorais la douceur féminine. Ma mère

2515 Ne m'a pas trouvé beau. Je n'ai pas eu de sœur.
Plus tard, j'ai redouté l'amante à l'œil moqueur.
Je vous dois d'avoir eu, tout au moins, une amie.
Grâce à vous une robe a passé dans ma vie.

LE BRET, *lui montrant le clair de lune*
qui descend à travers les branches.
Ton autre amie est là, qui vient te voir !

CYRANO, *souriant à la lune.*
Je vois.

ROXANE

2520 Je n'aimais qu'un seul être et je le perds deux fois !

CYRANO

Le Bret, je vais monter dans la lune opaline[1],
Sans qu'il faille inventer, aujourd'hui, de machine…

ROXANE

Que dites-vous ?

---

1. **Opaline** : d'une teinte laiteuse et bleutée.

CYRANO

Mais oui, c'est là, je vous le dis,
Que l'on va m'envoyer faire mon paradis.
2525 Plus d'une âme que j'aime y doit être exilée,
Et je retrouverai Socrate et Galilée[1] !

LE BRET, *se révoltant.*

Non ! non ! C'est trop stupide à la fin, et c'est trop
Injuste ! Un tel poète ! Un cœur si grand, si haut !
Mourir ainsi !… Mourir !…

CYRANO

Voilà Le Bret qui grogne !

LE BRET, *fondant en larmes.*

2530 Mon cher ami…

CYRANO, *se soulevant, l'œil égaré.*

Ce sont les cadets de Gascogne…
– La masse élémentaire… Eh oui !… voilà le hic…

LE BRET

Sa science… dans son délire !

CYRANO

Copernic[2]

A dit…

ROXANE

Oh !

CYRANO

Mais aussi que diable allait-il faire.
Mais que diable allait-il faire en cette galère ?…
2535 Philosophe, physicien,

---

1. Socrate (ve siècle av. J.-C.) : philosophe grec ; **Galilée** (1564-1642) : physicien et astronome italien.
2. Copernic (1473-1543) : astronome, auteur de la théorie selon laquelle le Soleil est au centre de l'univers.

> Rimeur, bretteur, musicien,
>   Et voyageur aérien,
> Grand riposteur du tac au tac,
> Amant aussi – pas pour son bien ! –
>   Ci-gît[1] Hercule-Savinien
>   De Cyrano de Bergerac
>   Qui fut tout, et qui ne fut rien,
> …Mais je m'en vais, pardon, je ne peux faire attendre :
> Vous voyez, le rayon de lune vient me prendre !

2540

Il est retombé assis, les pleurs de Roxane le rappellent à la réalité, il la regarde, et caressant ses voiles :

2545 Je ne veux pas que vous pleuriez moins ce charmant,
Ce bon, ce beau Christian ; mais je veux seulement
Que lorsque le grand froid aura pris mes vertèbres,
Vous donniez un sens double à ces voiles funèbres,
Et que son deuil sur vous devienne un peu mon deuil.

ROXANE

2550 Je vous jure !

> **CYRANO** *est secoué d'un grand frisson*
> *et se lève brusquement.*
> Pas là ! non ! pas dans ce fauteuil !

On veut s'élancer vers lui.

– Ne me soutenez pas ! – Personne !

Il va s'adosser à l'arbre.

Rien que l'arbre !

Silence.

Elle vient. Je me sens déjà botté de marbre,
– Ganté de plomb !

Il se raidit.

Oh ! mais !… puisqu'elle est en chemin,
Je l'attendrai debout,

---

1. **Ci-gît** : ici repose.

Il tire l'épée.

et l'épée à la main!

LE BRET

2555 Cyrano!

ROXANE, *défaillante.*

Cyrano!

Tous reculent épouvantés.

CYRANO

Je crois qu'elle regarde…
Qu'elle ose regarder mon nez, cette Camarde[1]!

Il lève son épée.

Que dites-vous?… C'est inutile?… Je le sais!
Mais on ne se bat pas dans l'espoir du succès!
Non! non! c'est bien plus beau lorsque c'est inutile!
2560 – Qu'est-ce que c'est que tous ceux-là? – Vous êtes mille?
Ah! je vous reconnais, tous mes vieux ennemis!
Le Mensonge?

Il frappe de son épée le vide.

Tiens, tiens! – Ha! ha! les Compromis,
Les Préjugés, les Lâchetés!…

Il frappe.

Que je pactise?
Jamais, jamais! – Ah! te voilà, toi, la Sottise!
2565 – Je sais bien qu'à la fin vous me mettrez à bas;
N'importe: je me bats! je me bats! je me bats!

Il fait des moulinets immenses et s'arrête haletant.

Oui, vous m'arrachez tout, le laurier et la rose[2]!
Arrachez! Il y a malgré vous quelque chose
Que j'emporte, et ce soir, quand j'entrerai chez Dieu,
2570 Mon salut balaiera largement le seuil bleu,

---

1. Cette Camarde : la Mort, souvent représentée sans nez.
2. Le laurier et la rose : symboles de la gloire et de l'amour.

Quelque chose que sans un pli, sans une tache,
J'emporte malgré vous,

> *Il s'élance l'épée haute.*

et c'est…

L'épée s'échappe de ses mains, il chancelle, tombe dans les bras de Le Bret et de Ragueneau.

> **ROXANE,** *se penchant sur lui*
> *et lui baisant le front.*
>
> C'est?…

> **CYRANO,** *rouvre les yeux,*
> *la reconnaît et dit en souriant.*
>
> Mon panache[1].

RIDEAU

---

1. **Panache** : au sens figuré, vaillance et fière allure.

Un quiz pour commencer

Cochez les bonnes réponses.

❶ *Combien de temps a passé depuis la mort de Christian ?*
- ❏ Une dizaine d'années.
- ❏ Une quinzaine d'années.
- ❏ On l'ignore.

❷ *Qu'est devenue Roxane ?*
- ❏ Elle est mariée au Duc de Grammont.
- ❏ Elle vit à la cour.
- ❏ Elle vit retirée dans un couvent.

❸ *Quelle est la situation de Cyrano ?*
- ❏ Il est seul et pauvre.
- ❏ Il vit à la cour.
- ❏ Il a été fait maréchal.

❹ *Quelle nouvelle Ragueneau porte-t-il à Le Bret ?*

- ❏ Cyrano a été blessé dans un duel.
- ❏ Cyrano a eu un accident dans la rue.
- ❏ Cyrano est tombé gravement malade.

❺ *Quel souvenir de Christian Roxane conserve-t-elle sur elle ?*

- ❏ Un morceau de tissu.
- ❏ Une mèche de cheveux.
- ❏ Sa dernière lettre.

❻ *Comment Roxane comprend-elle que Cyrano est l'auteur de la lettre ?*

- ❏ Il le lui dit.
- ❏ Il la connaît par cœur.
- ❏ Le Bret le lui apprend.

❼ *Comment Cyrano révèle-t-il qu'il est mourant ?*

- ❏ Il fait de sa mort la dernière nouvelle de sa gazette.
- ❏ Il laisse à Le Bret le soin de le dire.
- ❏ Il a rédigé une dernière lettre à Roxane.

❽ *Comment Cyrano attend-il la mort ?*

- ❏ Dans les bras de Roxane.
- ❏ Dans son fauteuil.
- ❏ Debout.

Des questions pour aller plus loin

👉 Analyser le dénouement de la pièce

La dernière visite de Cyrano

❶ Dans la didascalie d'ouverture, relevez les éléments du paysage qui suggèrent la venue de l'automne. En quoi cette saison est-elle propice à la mélancolie ?

❷ Les personnages ont évolué par rapport à l'acte précédent : quels changements se sont opérés chez De Guiche et chez Roxane ?

❸ Dans la scène 5, retrouvez le vers par lequel Roxane définit le rôle que Cyrano joue dans sa vie depuis quatorze ans.

❹ Relevez quelques citations indiquant que les visites de Cyrano obéissent à un rituel bien précis. Quel est le double sens du verbe « partir » qu'emploie Cyrano dans le vers 2385 ?

La révélation finale

❺ À la fin de la scène 5, relisez la didascalie qui suit le vers 2456. À quel moment de la journée sommes-nous ?

❻ Pourquoi tout le texte de la lettre (v. 2440-2455) est-il entre guillemets et en italique ?

❼ Selon vous, pourquoi Cyrano commence-t-il par nier qu'il aime Roxane ? Relisez le vers 2468 : quelle contradiction comporte-t-il ?

❽ Expliquez l'exclamation de Roxane au vers 2520 : « Je n'aimais qu'un seul être et je le perds deux fois ! »

La mort du héros

❾ Comment appelle-t-on le texte que Cyrano formule aux vers 2535-2542 ?

⑩ Comparez l'attitude de Cyrano au moment de mourir avec les paroles qu'il avait prononcées à propos des feuilles mortes aux vers 2405-2408.

⑪ Relevez les ennemis contre lesquels Cyrano se bat dans son délire de mourant.

⑫ Dans les vers 2483 à 2503, quel bilan Cyrano fait-il de son existence ? Sa vision des choses vous semble-t-elle justifiée ou sévère ?

⑬ En vous appuyant sur le dernier mot de la pièce, dites quelle dernière image de lui Cyrano laisse aux spectateurs.

Rappelez-vous !
Le dernier acte d'une pièce doit apporter la résolution de l'intrigue : c'est le dénouement. Ici, le dénouement de l'intrigue amoureuse repose sur une révélation : Roxane découvre la véritable identité de celui qui lui écrivait des lettres d'amour. Au moment où le bonheur devient possible, Cyrano en est privé par la mort.

De la lecture à l'écriture

Des mots pour mieux écrire

❶ Les adjectifs de la liste suivante se trouvent dans l'acte V. Indiquez pour chacun d'eux le verbe de la même famille, puis l'adverbe s'il existe: fâcheux, riposteur, inopportun, fanfaron, railleur.

❷ Dans les deux listes suivantes, retrouvez un synonyme pour chaque terme de l'exercice 1, puis un antonyme:

A. vantard, sarcastique, malséant, attaquant, déplaisant.
B. bienvenu, craintif, respectueux, modeste, convenable.

À vous d'écrire

❶ À partir des informations fournies par la pièce sur Cyrano, rédigez une petite nécrologie (biographie rédigée à l'occasion du décès de quelqu'un) rendant compte de sa vie.
Consigne. Votre notice occupera au moins une vingtaine de lignes et s'organisera en trois paragraphes: l'annonce de la mort de Cyrano et des circonstances de celle-ci; le rappel des principaux faits de sa vie et de la diversité de ses occupations; les hommages que lui rendent des personnes aussi diverses que De Guiche, Molière ou Ragueneau.

❷ Imaginez que De Guiche ait envoyé à Cyrano, la veille de sa mort, une lettre anonyme pour le prévenir des dangers qui le guettent et de l'assassinat qui se prépare contre lui.
Consigne. Vous rédigerez cette lettre à la première personne, en prenant soin de cacher l'identité de l'expéditeur, mais en soulignant l'estime de longue date qui le lie au destinataire. Vous utiliserez le présent et le passé composé et respecterez les règles de présentation de la lettre.

Des questions sur l'ensemble de la pièce

Une histoire d'amour

1 Combien d'histoires d'amour la pièce comporte-t-elle ?

2 Comment qualifieriez-vous la relation qui unit Christian et Cyrano ? Montrez comment elle évolue au cours de la pièce.

3 Dans le triangle amoureux formé par Christian, Cyrano et Roxane, chacun d'eux parvient-il au bonheur, et si oui, à quel moment de la pièce ?

Une histoire de mots

4 Récapitulez les tirades prononcées par Cyrano, en précisant les scènes dans lesquelles on les trouve.

5 Faites la liste des poèmes ou chansons déclamés au cours de la pièce, et précisez par qui ils sont prononcés. Quel est l'effet produit ?

6 Quel personnage, par son amour du langage, peut apparaître comme un double de Cyrano ? D'après vous, chez lequel de ces deux personnages l'amour des mots est-il le plus fort ? Appuyez votre réponse sur quelques citations.

❼ Lire une pièce de théâtre écrite en vers vous a-t-il semblé moins facile qu'une pièce écrite en prose ? Expliquez pourquoi.

Une pièce de théâtre aux multiples facettes

❽ Quelles scènes de *Cyrano* sont-elles caractéristiques de la comédie ? Lesquelles ressemblent-elles à des scènes tragiques ?

❾ Parmi les personnages de la liste suivante, lesquels vous paraissent être des personnages de comédie ? Cyrano, Ragueneau, Christian, Roxane, la duègne, De Guiche, le capucin.

❿ Selon vous, quels ingrédients de la pièce permettent de la transposer facilement au cinéma ?

Des mots pour mieux écrire

Lexique de l'amour

Adorer : aimer quelqu'un comme une divinité.
Amant(e) : au XVIIe siècle, personne qui aime et est aimée en retour.
Badinage : jeu de séduction.
Épris : très amoureux.
Flamme : passion amoureuse.

Fleurette : propos galant.
Galanterie : comportement par lequel on cherche à plaire aux femmes.
Idolâtrer : aimer avec une passion excessive.
Tendre : qui montre de l'affection.

Classez les mots du lexique de l'amour en deux groupes selon qu'ils vous semblent désigner une passion intense ou un amour plus léger.

Lexique de l'orgueil

Arrogant : prétentieux, supérieur.
Fier : qui montre une farouche indépendance.
Honneur : sentiment de considération pour soi-même et pour les autres.
Lauriers : symbole de la gloire acquise par les armes ou les par les arts.
Morgue : insolence, suffisance.

Panache : allure et bravoure spectaculaires.
Se pavaner : marcher de manière à se faire admirer, comme un paon faisant la roue.
Superbe : dont les manières trahissent l'orgueil.
Triompher : vaincre totalement, souvent par les armes.

Complétez les phrases suivantes à l'aide de mots du lexique de l'orgueil :

Cyrano est un être _____ qui tient à sa liberté, alors que De Guiche, très _____, se distingue surtout par sa _____. Ils n'ont pas non plus la même idée du succès : De Guiche cherche à se couvrir de _____ pour s'élever à la cour ; Cyrano ne veut _____ que par amour du beau geste et du bon mot.

Autour du nez

Aquilin : long et fin.
Camus : court et écrasé.
Nasigère : synonyme très soutenu de « nez ».

Nasillard : qui parle du nez.
Nasarde : chiquenaude sur le nez.
Pif : synonyme familier de « nez ».

a. *À l'aide d'un dictionnaire, indiquez le sens des expressions figurées suivantes, employées par Christian dans l'acte II.*

N'y voir pas plus loin que son nez.
Se trouver nez à nez.

Avoir quelqu'un dans le nez.
Donner sur le nez.

b. *Trouvez d'autres expressions figurées construites à partir du mot « nez ». Vous pouvez utiliser un dictionnaire pour vous aider.*

À vous de créer

❶ *Réaliser une affiche annonçant la représentation de* Cyrano de Bergerac

Le théâtre de votre ville vous confie la réalisation d'une affiche annonçant la représentation de la pièce.

Étape 1. Conception
Réfléchissez aux informations qui vont figurer sur votre affiche :
– titre de la pièce,
– nom de l'auteur,
– nom du théâtre, du metteur en scène et de deux comédiens,
– dates de représentation.

Pensez au choix de l'illustration : représentera-t-elle des personnages ? un moment de la pièce ? un objet qui symbolise l'intrigue ?

Étape 2. Composition
Travaillez à la réalisation de votre affiche à l'aide d'un logiciel de traitement de texte vous permettant d'intégrer des images.

Étape 3. Justification
Rédigez un paragraphe justifiant vos choix : pourquoi avez-vous choisi de faire apparaître ces éléments sur votre affiche ? Pourquoi pensez-vous qu'elle attirera des spectateurs à une représentation ?

Étape 4. Publication
Avec l'aide du professeur de Technologie si besoin, publiez en ligne les affiches et les textes de la classe sur un blog, sur le site de la classe ou celui du collège.

❷ *Jouer en classe la scène du balcon*

Vous allez mettre en scène un extrait de la scène du balcon (acte III, scène 7), des vers 1440 à 1491, pages 173-176.

Étape 1. Répartition des rôles
Formez au sein de la classe plusieurs groupes comprenant chacun deux garçons (Christian et Cyrano), une fille (Roxane) et un ou deux metteurs en scène. Chaque groupe proposera sa version de la scène.

Étape 2. Mise en scène
Relisez l'extrait en question. Réfléchissez à ce que vous souhaitez mettre en évidence par votre mise en scène, et à la façon dont vous percevez les personnages:
– Cet extrait est-il totalement grave ou peut-on y voir des touches comiques ?
– Roxane est-elle amoureuse d'un homme ou seulement du beau langage qu'on lui tient ?
– Cyrano est-il heureux de déclarer sa flamme à sa cousine ou malheureux de le faire sous une identité qui n'est pas la sienne ?
– Christian est-il niais, ou profiteur, ou bien conscient de l'impasse dans laquelle lui aussi se trouve en usurpant le langage d'un autre ?

Choisissez un accessoire représentatif pour chaque personnage ainsi que quelques éléments de décor (vous pouvez simplement vous servir des meubles de la salle de classe).
Réfléchissez également au ton et aux gestes. Attention, Christian ne parle pas beaucoup, mais il est présent sur scène, à vous de le faire exister !

Étape 3. Représentation
Apprenez votre texte par cœur (vous devez aussi bien connaître celui de vos interlocuteurs, pour savoir quand parler) puis faites des répétitions avant la première devant la classe.

Groupements de textes

Amours impossibles

Euripide, *Hippolyte*

Dans cette tragédie, l'auteur grec Euripide (v° siècle av. J.-C.) dépeint la passion de Phèdre pour son beau-fils Hippolyte, que son époux Thésée avait eu d'une première union. Dans cette scène, l'héroïne tragique fait l'aveu de cet amour déraisonné à sa plus proche confidente, sa nourrice, qui en est horrifiée. Le lien familial unissant Phèdre et Hippolyte rend impossible cet amour et lui donne un caractère quasiment incestueux.

PHÈDRE
Si tu pouvais dire à ma place les mots que je dois prononcer!

LA NOURRICE
Je ne suis pas devin pour comprendre les énigmes.

PHÈDRE
Que signifie-t-on lorsqu'on dit que les hommes aiment?

LA NOURRICE
Ce qu'il existe de plus doux, mon enfant, et aussi de plus douloureux.

PHÈDRE

Je n'en aurai goûté que la douleur.

LA NOURRICE

Quoi ? tu aimes, ma fille ? qui aimes-tu ?

PHÈDRE

Cet homme, tu le connais ?… ce fils de l'Amazone[1]…

LA NOURRICE

Parles-tu d'Hippolyte ?

PHÈDRE

C'est toi qui prononces son nom.

LA NOURRICE

Grands dieux, ai-je entendu ? Coup mortel, mon enfant !
Amies[2], c'est plus que je ne saurais supporter
vivante. Jour exécré, odieuse lumière !
je veux me précipiter, en finir avec la vie,
mourir. Adieu, j'ai fini d'exister.
Si les gens vertueux, malgré eux, doivent aimer
coupablement, c'est que Cypris[3] n'est pas une déesse
mais, s'il se peut, un être plus puissant encore,
puisqu'elle a détruit Phèdre, et moi, et toute la maison.

Euripide, *Hippolyte* [428 av. J.-C.], trad. du grec par M. Delcourt-Curvers,
LGF, « Le livre de poche », 1962.
© Gallimard.

---

1. Fils de l'Amazone : Hippolyte est le fruit de l'union du héros Thésée et d'Antiope,
reine des Amazones.
2. Amies : référence aux personnes qui forment le chœur antique présent sur scène.
3. Cypris : surnom d'Aphrodite, déesse de l'amour.

Béroul, *Tristan et Iseut*

Le mythe de Tristan et Iseut, issu d'une tradition celte mise en récit par Béroul vers 1170, a nourri toute la littérature, et notamment *Roméo et Juliette*, la pièce de Shakespeare. Iseut s'apprête à épouser le roi Marc. Avant ce mariage, les deux futurs époux doivent boire un philtre d'amour qui les liera à jamais, mais Tristan et Iseut le boivent involontairement. Ils éprouvent dès lors l'un pour l'autre une passion dévorante et interdite qui les contraint à s'enfuir et à vivre misérablement dans les bois.

Un jour, par hasard, ils arrivèrent chez l'ermite frère Ogrin. L'ermite, appuyé sur sa canne, reconnut Tristan. Voilà ce qu'il lui dit :

– Seigneur Tristan, c'est officiel dans toute la Cornouailles : celui qui vous livrera au roi recevra une récompense de cent marcs. Tous les barons de ce pays ont juré de vous remettre au roi mort ou vif.

Ogrin ajouta avec bienveillance :

– En vérité, Tristan, Dieu pardonne à celui qui se repent de ses péchés avec sincérité en se confessant.

Tristan lui répondit :

– Mon père, je vous assure qu'elle m'aime en toute bonne foi pour une raison que vous ignorez. Elle m'aime à cause d'un philtre magique. Je ne peux pas me séparer d'elle, ni elle de moi, c'est la stricte vérité.

Ogrin lui dit :

– Alors comment réconforter un homme condamné ? Parce qu'il est condamné, celui qui vit dans le péché sans se repentir. Et il n'existe aucun pardon pour un pécheur qui ne se repent pas.

L'ermite Ogrin les sermonna longuement et leur conseilla de se repentir. Se référant souvent à la Bible, il insistait pour qu'ils se séparent. Puis, inquiet, il demanda à Tristan :

– Que vas-tu faire ? Réfléchis !

– Mon père, j'aime éperdument Iseut au point que j'en ai perdu le sommeil et ne dors plus. C'est donc tout réfléchi. Plutôt vivre avec elle comme un mendiant nourri d'herbes et de glands que posséder sans elle le royaume d'Otran. Inutile de me parler davantage de la quitter, ça m'est impossible.

Iseut se mit à pleurer aux pieds de l'ermite. En un instant, elle passait d'une couleur à l'autre et, à plusieurs reprises, elle implora sa pitié :

– Mon père, par Dieu tout-puissant, ce n'est qu'à cause du breuvage que nous avons bu que nous nous aimons. Il est bien là notre péché. Et c'est pour cette raison que le roi nous a chassés.

Béroul, *Tristan et Iseut*, trad. et adapt. de l'ancien français par S. Jolivet,
Belin-Gallimard, «Classico», 2011.
© Gallimard Jeunesse.

William Shakespeare, *Roméo et Juliette*

Dans cette pièce, William Shakespeare (1564-1616) met en scène l'histoire d'amour tragique de Roméo Montaigu et Juliette Capulet. Les deux amants sont issus de familles rivales qui se vouent une haine mortelle. Juste avant cette scène, Roméo et Juliette se sont rencontrés pour la première fois. Roméo est entré dans le jardin des Capulet, espérant apercevoir Juliette. Elle apparaît alors à son balcon et, se croyant seule, dit tout haut son amour pour Roméo avant de se rendre compte de sa présence.

JULIETTE

Ô Roméo, Roméo, pourquoi es-tu Roméo ?
Renie ton père et refuse ton nom ;
Ou si tu ne veux pas, jure d'être mon amour,
Et je ne serai plus une Capulet.

ROMÉO

Dois-je écouter encore, ou dois-je lui parler ?

JULIETTE

C'est seulement ton nom qui est mon ennemi ;
Tu es toi-même, quand tu ne serais plus un Montaigu.
Qu'est-ce qu'un Montaigu ? Ce n'est ni une main, ni un pied,
Ni un bras, ni un visage [, ni aucune autre partie]
Du corps d'un homme. Oh ! sois quelque autre nom !
Qu'y a-t-il dans un nom ? Ce qu'on appelle une rose

Sous un tout autre nom sentirait aussi bon ;
De même Roméo, s'il ne s'appelait pas Roméo,
Garderait cette chère perfection qui est la sienne
Sans ce titre. Roméo, enlève ton nom,
Et en échange de ton nom, qui n'est aucune partie de toi,
Prends-moi toute.

ROMÉO

Je te prends au mot :
Appelle-moi seulement amour et je serai rebaptisé ;
Désormais plus jamais je ne serai Roméo.

JULIETTE

Quel homme es-tu, toi qui, dans l'écran de la nuit,
Trébuches ainsi sur mon secret ?

ROMÉO

D'un nom
Je ne sais pas comment te dire qui je suis :
Mon nom, chère sainte, est pour moi-même haïssable
Parce qu'il est un ennemi pour toi ;
L'eussé-je par écrit, je déchirerais le mot.

JULIETTE

Mes oreilles n'ont pas encore bu cent mots
Prononcés par ta langue, pourtant j'en reconnais le son.
N'es-tu pas Roméo, et un Montaigu ?

ROMÉO

Ni l'un ni l'autre, vierge, si l'un et l'autre te déplaisent.

JULIETTE

Comment es-tu venu ici, dis-moi, et pourquoi ?
Les murs de ce verger sont hauts et difficiles à escalader,
Et ce lieu, la mort, considérant qui tu es
Si l'un de mes proches te trouve ici.

ROMÉO
Sur les ailes légères de l'amour j'ai survolé ces murs,
Car les bornes de pierre ne sauraient retenir l'amour,
Et ce que peut l'amour, l'amour ose le tenter :
Ainsi tes proches ne peuvent pas m'arrêter.

JULIETTE
S'ils te voient, ils vont t'assassiner.

ROMÉO
Hélas ! il y a plus de périls dans ton œil
Que dans vingt de leurs épées : un doux regard de toi,
Et je suis cuirassé contre leur inimitié[1].

JULIETTE
Je ne voudrais pas pour le monde entier qu'ils te voient ici.

ROMÉO
J'ai le manteau de la nuit pour me cacher à leurs yeux,
Et si tu ne m'aimes pas, qu'ils me trouvent ici.
Plutôt ma vie achevée par leur haine
Que ma mort différée, s'il me manque ton amour.

William Shakespeare, *Roméo et Juliette* [vers 1590], acte II scène 1,
trad. de l'anglais par J.-M. Déprats, Belin-Gallimard, « Classico », 2011.
© Gallimard.

Racine, *Bérénice*

Racine (1639-1699) dépeint dans cette tragédie l'amour impossible entre l'empereur romain Titus et Bérénice, reine de Palestine. Cette passion va à l'encontre de l'intérêt politique, qui commande à Titus d'épouser une Romaine. Dans l'ultime réplique de la pièce, Bérénice décide donc de mettre fin à cet amour malgré ses sentiments. Par ailleurs, on retrouve ici le triangle amoureux : Antiochus, ami de Titus, lui avoue qu'il a toujours aimé Bérénice lui aussi, dans l'ombre.

---

1. **Inimitié** : haine.

ANTIOCHUS

Mais le pourriez-vous croire en ce moment fatal,
Qu'un ami si fidèle était votre rival?

TITUS

Mon rival!

ANTIOCHUS

Il est temps que je vous éclaircisse.
Oui, seigneur, j'ai toujours adoré Bérénice.
Pour ne la plus aimer, j'ai cent fois combattu:
Je n'ai pu l'oublier, au moins je me suis tu.
De votre changement la flatteuse apparence[1]
M'avait rendu tantôt quelque faible espérance:
Les larmes de la reine ont éteint cet espoir.
Ses yeux, baignés de pleurs, demandaient à vous voir.
Je suis venu, seigneur, vous appeler moi-même;
Vous êtes revenu. Vous aimez, on vous aime[2];
Vous vous êtes rendu: je n'en ai point douté.
Pour la dernière fois je me suis consulté[3];
J'ai fait de mon courage une épreuve dernière;
Je viens de rappeler ma raison tout entière:
Jamais je ne me suis senti plus amoureux.
Il faut d'autres efforts pour rompre tant de nœuds[4]:
Ce n'est qu'en expirant que je puis les détruire;
J'y cours. Voilà de quoi j'ai voulu vous instruire.
[...]

BÉRÉNICE, *se levant.*

Arrêtez, arrêtez. Princes trop généreux,
En quelle extrémité me jetez-vous tous deux!
Soit que je vous regarde, ou que je l'envisage,
Partout du désespoir je rencontre l'image.

---

1. De votre changement la flatteuse apparence : votre changement d'attitude
envers Bérénice.
2. On vous aime : Bérénice vous aime.
3. Je me suis consulté : j'ai réfléchi.
4. Tant de nœuds : tant de liens amoureux.

Je ne vois que des pleurs, et je n'entends parler
Que de trouble, d'horreurs, de sang prêt à couler.

(À Titus)

Mon cœur vous est connu, Seigneur, et je puis dire
Qu'on ne l'a jamais vu soupirer pour l'empire[1].
La grandeur des Romains, la pourpre des Césars,
N'a point, vous le savez, attiré mes regards.
J'aimais, Seigneur, j'aimais, je voulais être aimée.
Ce jour, je l'avouerai, je me suis alarmée :
J'ai cru que votre amour allait finir son cours.
Je connais mon erreur, et vous m'aimez toujours.
Votre cœur s'est troublé, j'ai vu couler vos larmes ;
Bérénice, Seigneur, ne vaut point tant d'alarmes,
Ni que par votre amour l'univers malheureux,
Dans le temps que[2] Titus attire tous ses vœux
Et que de vos vertus il goûte les prémices[3],
Se voie en un moment enlever ses délices.
Je crois, depuis cinq ans jusqu'à ce dernier jour,
Vous avoir assuré d'un véritable amour.
Ce n'est pas tout : je veux, en ce moment funeste,
Par un dernier effort couronner tout le reste.
Je vivrai, je suivrai vos ordres absolus.
Adieu, Seigneur, régnez : je ne vous verrai plus.

Racine, *Bérénice* [1670], acte V scène 7, Belin-Gallimard, « Classico », 2011.

Goethe, *Les Souffrances du jeune Werther*

Ce roman épistolaire de l'écrivain allemand Goethe (1749-1832) a marqué les débuts du romantisme en littérature. Il relate l'amour dévastateur de Werther pour Charlotte, promise à un autre, Albert. Celui-ci s'avère être un homme bon que Werther vient à estimer et apprécier. Le jeune Werther, pur et honnête, ne peut prétendre trahir quelqu'un

---

1. Pour l'empire : pour le pouvoir impérial, qu'un mariage avec Titus aurait donné à Bérénice.
2. Dans le temps que : alors que.
3. Prémices : débuts.

qu'il respecte et son amour pour Charlotte est donc vain, ce qui le mène à une issue tragique.

30 juillet.

Albert est arrivé, et moi, je vais partir. Fût-il le meilleur, le plus généreux des hommes, et lors même que je serais disposé à reconnaître sa supériorité sur moi à tous égards, il me serait insupportable de le voir posséder sous mes yeux tant de perfections!... Posséder! il suffit, mon ami; le prétendu[1] est arrivé! C'est un homme honnête et bon, qui mérite qu'on l'aime. Heureusement je n'étais pas présent à sa réception, j'aurais eu le cœur trop déchiré. Il est si bon qu'il n'a pas encore embrassé une seule fois Charlotte en ma présence. Que Dieu l'en récompense! Rien que le respect qu'il témoigne à cette jeune femme me force à l'aimer. Il semble me voir avec plaisir, et je soupçonne que c'est l'ouvrage de Charlotte, plutôt que l'effet de son propre mouvement: car là-dessus les femmes sont très-adroites, et elles ont raison; quand elles peuvent entretenir deux adorateurs en bonne intelligence[2], quelque rare que cela soit, c'est tout profit pour elles.

Du reste, je ne puis refuser mon estime à Albert. Son calme parfait contraste avec ce caractère ardent et inquiet que je ne puis cacher. Il est homme de sentiment, et apprécie ce qu'il possède en Charlotte. Il paraît peu sujet à la mauvaise humeur; et tu sais que, de tous les défauts des hommes, c'est celui que je hais le plus.

Il me considère comme un homme qui a quelque mérite; mon attachement pour Charlotte, le vif intérêt que je prends à tout ce qui la touche, augmentent son triomphe, et il l'en aime d'autant plus. Je n'examine pas si quelquefois il ne la tourmente point par quelque léger accès de jalousie: à sa place, j'aurais au moins de la peine à me défendre entièrement de ce démon.

Quoi qu'il en soit, le bonheur que je goûtais près de Charlotte a disparu. Est-ce folie? est-ce stupidité? Qu'importe le nom! la chose parle assez d'elle-même! Avant l'arrivée d'Albert, je savais tout ce que je sais maintenant; je savais que je n'avais point de

---

1. **Prétendu** : fiancé.
2. **En bonne intelligence** : en bonne entente.

prétentions à former sur elle, et je n'en formais aucune… j'entends autant qu'il est possible de ne rien désirer à la vue de tant de charmes… Et aujourd'hui l'imbécile s'étonne et ouvre de grands yeux, parce que l'autre arrive en effet et lui enlève la belle.

Je grince les dents, et je m'indigne contre ceux qui peuvent dire qu'il faut que je me résigne, puisque la chose ne peut être autrement… Délivrez-moi de ces automates. Je cours les forêts, et lorsque je reviens près de Charlotte, que je trouve Albert auprès d'elle dans le petit jardin, sous le berceau, et que je me sens forcé de ne pas aller plus loin, je deviens fou à lier, et je fais mille extravagances.

Johann Wolfgang von Goethe, *Les Souffrances du jeune Werther* [1774], trad. de l'allemand par B. Groethuysen, Gallimard, « Folio classique », 1973.
© Gallimard.

Victor Hugo, *Ruy Blas*

Dans cette pièce, Victor Hugo (1802-1885) imagine l'amour improbable entre la reine d'Espagne et un laquais, Ruy Blas, qui se fait passer pour un noble. Désespéré quand la vérité éclate, Ruy Blas décide de se tuer, non sans avoir d'abord demandé pardon à celle qu'il a sincèrement aimée.

RUY BLAS
Quand je pense, pauvre ange,
Que vous m'avez aimé !

LA REINE
Quel est ce philtre[1] étrange ?
Qu'avez-vous fait ? Dis-moi ! réponds-moi ! parle-moi !
César ! je te pardonne et t'aime et je te croi !

RUY BLAS
Je m'appelle Ruy Blas.

---

1. **Philtre** : poison que Ruy Blas vient de boire dans une fiole.

LA REINE, *l'entourant de ses bras.*
Ruy Blas, je vous pardonne !
Mais qu'avez-vous fait là ? Parle, je te l'ordonne !
Ce n'est pas du poison, cette affreuse liqueur ?
Dis ?

RUY BLAS
Si ! C'est du poison. Mais j'ai la joie au cœur.

Tenant la reine embrassée
et levant les yeux au ciel.

Permettez, ô mon Dieu ! justice souveraine !
Que ce pauvre laquais bénisse cette reine,
Car elle a consolé mon cœur crucifié,
Vivant, par son amour, mourant, par sa pitié !

LA REINE
Du poison ! Dieu ! c'est moi qui l'ai tué ! Je t'aime !
Si j'avais pardonné ?...

RUY BLAS, *défaillant.*
J'aurais agi de même.

Sa voix s'éteint. La reine le soutient dans ses bras.
Je ne pouvais plus vivre. Adieu !

Montrant la porte.
Fuyez d'ici !
Tout restera secret. Je meurs.

Il tombe.

LA REINE, *se jetant sur son corps.*
Ruy Blas !

RUY BLAS, *qui allait mourir, se réveille*
à son nom prononcé par la reine.
Merci !

Victor Hugo, *Ruy Blas* [1838], acte V scène 4,
Belin-Gallimard, « Classico », 2009.

Duels de mots au théâtre

Corneille, *Le Cid*

Le Cid, pièce majeure de Corneille (1606-1684), met en scène l'amour contrarié de Rodrigue et Chimène, dont les pères respectifs se détestent depuis que l'un a offensé l'autre. En effet, dans l'extrait qui suit, le Comte et Don Diègue (plus âgé que son interlocuteur) se disputent à propos du poste d'instructeur du Prince, que le Roi vient d'accorder à Don Diègue. La tension contenue dans le langage précède et annonce la violence de la gifle finale.

LE COMTE

Les exemples vivants ont bien plus de pouvoir,
Un Prince dans un livre apprend mal son devoir ;
Et qu'a fait après tout ce grand nombre d'années
Que ne puisse égaler une de mes journées ?
Si vous fûtes vaillant, je le suis aujourd'hui,
Et ce bras du Royaume est le plus ferme appui ;
Grenade et l'Aragon tremblent quand ce fer[1] brille,
Mon nom sert de rempart à toute la Castille,
Sans moi vous passeriez bientôt sous d'autres lois,
Et si vous ne m'aviez, vous n'auriez plus de Rois.
[…]

DON DIÈGUE

Vous me parlez en vain de ce que je connoi[2],
Je vous ai vu combattre et commander sous moi[3] :
Quand l'âge dans mes nerfs a fait couler sa glace
Votre rare valeur a bien rempli ma place,
Enfin pour épargner les discours superflus
Vous êtes aujourd'hui ce qu'autrefois je fus.
Vous voyez toutefois qu'en cette concurrence
Un monarque entre nous met quelque différence.

---

1. **Ce fer** : cette épée.
2. **Connoi** : forme ancienne de « connais » qui permet la rime avec « moi ».
3. **Sous moi** : sous mes ordres.

LE COMTE
Ce que je méritais, vous l'avez emporté.

DON DIÈGUE
Qui l'a gagné sur vous l'avait mieux mérité.

LE COMTE
Qui peut mieux l'exercer en est bien le plus digne.

DON DIÈGUE
En être refusé n'en est pas un bon signe.

LE COMTE
Vous l'avez eu par brigue[1], étant vieux courtisan.

DON DIÈGUE
L'éclat de mes hauts faits fut mon seul partisan.

LE COMTE
Parlons-en mieux, le Roi fait honneur à votre âge.

DON DIÈGUE
Le roi, quand il en fait[2], le mesure au courage.

LE COMTE
Et par là cet honneur n'était dû qu'à mon bras.

DON DIÈGUE
Qui n'a pu l'obtenir ne le méritait pas.

LE COMTE
Ne le méritait pas ! moi ?

DON DIÈGUE
Vous.

_____

1. Par brigue : en intriguant.
2. Quand il en fait : quand il fait honneur.

LE COMTE
Ton impudence,
Téméraire vieillard, aura sa récompense.

Il lui donne un soufflet[1].

Corneille, *Le Cid* [1637], acte I scène 4,
Belin-Gallimard, «Classico», 2014.

Racine, *Britannicus*

Cette tragédie de Racine (1639-1699) est fondée sur un triangle amoureux : Néron, empereur romain, aime Junie, qui aime Britannicus. Néron a fait enlever et enfermer Junie dans son palais. Menaçant de faire tuer Britannicus, il a forcé Junie à dire à ce dernier qu'elle ne l'aimait plus. Pour s'assurer que Junie lui obéissait, il s'est caché pour épier leur entrevue. C'est ainsi qu'il a observé la joie de Britannius, qui a compris que Junie l'aimait toujours. S'ensuit un échange très tendu, où les sarcasmes et les sous-entendus s'enchaînent, et où Britannicus défie l'empereur au risque de sa vie.

NÉRON
Prince, continuez des transports si charmants.
Je conçois vos bontés par ses remerciements,
Madame, à vos genoux je viens de le surprendre.
Mais il aurait aussi quelque grâce à me rendre,
Ce lieu le favorise, et je vous y retiens
Pour lui faciliter de si doux entretiens.

BRITANNICUS
Je puis mettre à ses pieds ma douleur, ou ma joie,
Partout où sa bonté consent que je la voie.
Et l'aspect de ces lieux où vous la retenez,
N'a rien dont mes regards doivent être étonnés.

---

1. **Soufflet** : gifle.

NÉRON

Et que vous montrent-ils qui ne vous avertisse
Qu'il faut qu'on me respecte et que l'on m'obéisse ?

BRITANNICUS

Ils ne nous ont pas vus l'un et l'autre élever,
Moi pour vous obéir, et vous pour me braver,
Et ne s'attendaient pas, lorsqu'ils nous virent naître,
Qu'un jour Domitius me dût parler en maître.

NÉRON

Ainsi par le destin nos vœux sont traversés,
J'obéissais alors et vous obéissez.
Si vous n'avez appris à vous laisser conduire[1],
Vous êtes jeune encore et l'on peut vous instruire.

BRITANNICUS

Et qui m'en instruira ?

NÉRON

Tout l'empire à la fois,
Rome.

BRITANNICUS

Rome met-elle au nombre de vos droits
Tout ce qu'a de cruel l'injustice et la force,
Les emprisonnements, le rapt[2] et le divorce ?

NÉRON

Rome ne porte point ses regards curieux
Jusque dans des secrets que je cache à ses yeux.
Imitez son respect.

BRITANNICUS

On sait ce qu'elle en pense.

---

1. Conduire : diriger.
2. Rapt : enlèvement.

NÉRON
Elle se tait du moins, imitez son silence.

BRITANNICUS
Ainsi Néron commence à ne se plus forcer[1].

NÉRON
Néron de vos discours commence à se lasser.

BRITANNICUS
Chacun devait bénir le bonheur de son règne.

NÉRON
Heureux ou malheureux, il suffit qu'on me craigne.

BRITANNICUS
Je connais mal Junie, ou de tels sentiments
Ne mériteront pas ses applaudissements.

NÉRON
Du moins si je ne sais le secret de lui plaire,
Je sais l'art de punir un rival téméraire.

BRITANNICUS
Pour moi, quelque péril qui me puisse accabler,
Sa seule inimitié[2] peut me faire trembler.

NÉRON
Souhaitez-la. C'est tout ce que je vous puis dire.

BRITANNICUS
Le bonheur de lui plaire est le seul où j'aspire.

NÉRON
Elle vous l'a promis, vous lui plairez toujours.

––––––––––––––––––

1. À ne se plus forcer : à ne plus faire semblant, à révéler sa vraie nature.
2. Inimitié : désamour.

BRITANNICUS

Je ne sais pas du moins épier ses discours.
Je la laisse expliquer sur tout ce qui me touche,
Et ne me cache point pour lui fermer la bouche.

NÉRON

Je vous entends[1]. Eh bien, gardes !

Racine, *Britannicus* [1669], acte III scène 8,
Belin-Gallimard, « Classico », 2014.

Beaumarchais, *Le Mariage de Figaro*

Cette comédie de Beaumarchais (1732-1799) met aux prises les domestiques avec leurs maîtres. Ici, le valet Figaro affronte son maître, le Comte Almaviva. Figaro a joué un certain nombre de mauvais tours au Comte dans les actes précédents. Le Comte, de son côté, a fait du chantage à la fiancée de Figaro, Suzanne, pour la forcer à céder à ses avances amoureuses. Le Comte veut savoir si Suzanne a révélé son chantage à Figaro, et propose donc à celui-ci de partir pour Londres en la laissant seule.

LE COMTE, *à part.*

Il veut venir à Londres ; elle n'a pas parlé.

FIGARO, *à part.*

Il croit que je ne sais rien ; travaillons-le un peu dans son genre.

LE COMTE

Quel motif avait la comtesse pour me jouer un pareil tour ?

FIGARO

Ma foi, monseigneur, vous le savez mieux que moi.

LE COMTE

Je la préviens sur tout et la comble de présents.

---

1. Je vous entends : je comprends vos sous-entendus.

Figaro

Vous lui donnez, mais vous êtes infidèle. Sait-on gré du superflu à qui nous prive du nécessaire?

Le Comte

… Autrefois tu me disais tout.

Figaro

Et maintenant je ne vous cache rien.

Le Comte

Combien la comtesse t'a-t-elle donné pour cette belle association?

Figaro

Combien me donnâtes-vous pour la tirer des mains du docteur? Tenez, monseigneur, n'humilions pas l'homme qui nous sert bien, crainte d'en faire un mauvais valet.

Le Comte

Pourquoi faut-il qu'il y ait toujours du louche en ce que tu fais?

Figaro

C'est qu'on en voit partout quand on cherche des torts.

Le Comte

Une réputation détestable!

Figaro

Et si je vaux mieux qu'elle? y a-t-il beaucoup de seigneurs qui puissent en dire autant?

Le Comte

Cent fois je t'ai vu marcher à la fortune, et jamais aller droit.

Figaro

Comment voulez-vous? la foule est là: chacun veut courir, on se presse, on pousse, on coudoie, on renverse, arrive qui peut; le reste est écrasé. Aussi c'est fait; pour moi, j'y renonce.

LE COMTE

À la fortune ? *(À part.)* Voici du neuf.

FIGARO

(À part.) À mon tour maintenant. *(Haut.)* Votre Excellence m'a gratifié de la conciergerie du château ; c'est un fort joli sort ; à la vérité je ne serai pas le courrier étrenné des nouvelles intéressantes ; mais en revanche, heureux avec ma femme au fond de l'Andalousie…

LE COMTE

Qui t'empêcherait de l'emmener à Londres ?

FIGARO

Il faudrait la quitter si souvent que j'aurais bientôt du mariage par-dessus la tête.
[…]

LE COMTE, *à part.*

Il veut rester. J'entends… Suzanne m'a trahi.

FIGARO, *à part.*

Je l'enfile et le paye en sa monnaie.

Beaumarchais, *Le Mariage de Figaro* [1778], acte III scène 5,
Belin-Gallimard, « Classico », 2011.

Alfred de Musset, *Il faut qu'une porte soit ouverte ou fermée*

Dans cette pièce à seulement deux personnages, Alfred de Musset (1810-1857) fait dialoguer un Comte et une Marquise, dont le débat houleux sur l'amour aboutira à une déclaration et à un projet de mariage. Dans cet extrait, le Comte cherche à se renseigner au sujet d'une rumeur concernant la Marquise. Mais celle-ci, loin se laisser désarçonner, retourne la situation à son avantage et prend le dessus.

LE COMTE, *fermant la porte.*

On dit que vous pensez à vous remarier, que M. Camus est millionnaire, et qu'il vient chez vous bien souvent.

LA MARQUISE

En vérité ! pas plus que cela ? Et vous me dites cela au nez tout bonnement[1] ?

LE COMTE

Je vous le dis, parce qu'on en parle.

LA MARQUISE

C'est une belle raison. Est-ce que je vous répète tout ce qu'on dit de vous aussi par le monde ?

LE COMTE

De moi, madame ? Que peut-on dire, s'il vous plaît, qui ne puisse se répéter ?

LA MARQUISE

Mais vous voyez bien que tout peut se répéter, puisque vous m'apprenez que je suis à la veille d'être annoncée madame Camus. Ce qu'on dit de vous est au moins aussi grave, car il paraît malheureusement que c'est vrai.

LE COMTE

Et quoi donc ? Vous me feriez peur.

LA MARQUISE

Preuve de plus qu'on ne se trompe pas.

LE COMTE

Expliquez-vous, je vous en prie.

LA MARQUISE

Ah ! pas du tout ; ce sont vos affaires.

---

1. Tout bonnement : tout simplement.

LE COMTE, *se rasseyant.*

Je vous en supplie, marquise, je vous le demande en grâce. Vous êtes la personne du monde dont l'opinion a le plus de prix pour moi.

LA MARQUISE

L'une des personnes, vous voulez dire.

LE COMTE

Non, madame, je dis: la personne, celle dont l'estime, le sentiment, la…

LA MARQUISE

Ah, ciel! vous allez faire une phrase.

LE COMTE

Pas du tout! Si vous ne voyez rien, c'est qu'apparemment vous ne voulez rien voir.

LA MARQUISE

Voir quoi?

LE COMTE

Cela s'entend de reste.

LA MARQUISE

Je n'entends que ce qu'on me dit, et encore pas des deux oreilles.

LE COMTE

Vous riez de tout; mais, sincèrement, serait-il possible que, depuis un an, vous voyant presque tous les jours, faite comme vous êtes, avec votre esprit, votre grâce et votre beauté…

LA MARQUISE

Mais, mon Dieu! c'est bien pis qu'une phrase, c'est une déclaration que vous me faites là. Avertissez au moins: est-ce une déclaration, ou un compliment de bonne année?

Alfred de Musset, *Il faut qu'une porte soit ouverte ou fermée* [1845], GF-Flammarion, «Étonnants classiques», 2007.

Eugène Ionesco, *La Leçon*

Cette courte pièce du dramaturge français et roumain Eugène Ionesco (1909-1994) relate le cours particulier dispensé par un professeur à une jeune fille. La leçon commence de manière tout à fait normale, mais elle devient petit à petit inquiétante pour se terminer de façon tragique. Le langage accompagne cette évolution de la pièce : la communication est de plus en plus difficile et le dialogue de plus en plus tendu.

LE PROFESSEUR

Prenons des exemples plus simples. Si vous aviez eu deux nez, et je vous en aurais arraché un… combien vous en resterait-il maintenant ?

L'ÉLÈVE

Aucun.

LE PROFESSEUR

Comment aucun ?

L'ÉLÈVE

Oui, c'est justement parce que vous n'en avez arraché aucun, que j'en ai un maintenant. Si vous l'aviez arraché, je ne l'aurais plus.

LE PROFESSEUR

Vous n'avez pas compris mon exemple. Supposez que vous n'avez qu'une seule oreille.

L'ÉLÈVE

Oui, après ?

LE PROFESSEUR

Je vous en ajoute une, combien en auriez-vous ?

L'ÉLÈVE

Deux.

LE PROFESSEUR

Bon. Je vous en ajoute encore une. Combien en auriez-vous?

L'ÉLÈVE

Trois oreilles.

LE PROFESSEUR

J'en enlève une… Il vous reste… combien d'oreilles?

L'ÉLÈVE

Deux.

LE PROFESSEUR

Bon. J'en enlève encore une, combien vous en reste-t-il?

L'ÉLÈVE

Deux.

LE PROFESSEUR

Non. Vous en avez deux, j'en prends une, je vous en mange une, combien vous en reste-t-il?

L'ÉLÈVE

Deux.

LE PROFESSEUR

J'en mange une… une.

L'ÉLÈVE

Deux.

LE PROFESSEUR

Une.

L'ÉLÈVE

Deux.

LE PROFESSEUR

Une !

L'ÉLÈVE

Deux !

LE PROFESSEUR

Une !!!

L'ÉLÈVE

Deux !!!

LE PROFESSEUR

Une !!!

L'ÉLÈVE

Deux !!!

LE PROFESSEUR

Une !!!

L'ÉLÈVE

Deux !!!

LE PROFESSEUR

Non. Non. Ce n'est pas ça. L'exemple n'est pas convaincant. Écoutez-moi.

L'ÉLÈVE

Oui, monsieur.

LE PROFESSEUR

Vous avez… vous avez… vous avez…

L'ÉLÈVE

Dix doigts !…

LE PROFESSEUR
Si vous voulez. Parfait. Bon. Vous avez donc dix doigts.

L'ÉLÈVE
Oui, monsieur.

LE PROFESSEUR
Combien en auriez-vous, si vous en aviez cinq?

L'ÉLÈVE
Dix, monsieur.

LE PROFESSEUR
Ce n'est pas ça!

L'ÉLÈVE
Si, monsieur.

LE PROFESSEUR
Je vous dis que non!

L'ÉLÈVE
Vous venez de me dire que j'en ai dix…

LE PROFESSEUR
Je vous ai dit aussi, tout de suite après, que vous en aviez cinq!

L'ÉLÈVE
Je n'en ai pas cinq, j'en ai dix!

LE PROFESSEUR
Procédons autrement…

Eugène Ionesco, *La Leçon* [1951], Gallimard, «Folio», 1954.
© Gallimard.

Autour de l'œuvre

Interview imaginaire d'Edmond Rostand

Edmond Rostand (1868-1918)

▶▶ *Presque tout le monde connaît le nom de Cyrano, votre personnage, mais on en sait beaucoup moins sur vous-même, Edmond Rostand. Pouvez-vous éclairer votre public ?*

Je suis né à Marseille, en 1868. Je viens d'une famille plutôt aisée, où la culture et l'amour des arts avaient une grande importance. J'ai débuté mes études à Marseille, mais je les ai poursuivies et terminées à Paris, jusqu'à l'obtention d'un diplôme de droit qui m'a permis de devenir avocat. Mais je n'ai jamais exercé, car je m'intéressais bien davantage à la littérature. Dès mes vingt ans, j'ai commencé à publier des ouvrages : essais, poésies, pièces de théâtre. Je me suis essayé à de nombreux genres littéraires, avec plus ou moins de succès, d'ailleurs.

▶▶ *Justement, pouvez-vous nous expliquer à quel moment le succès, puis la gloire sont-ils arrivés ?*

Il me semble que c'est ma comédie *Les Romanesques*, en 1894, qui marque le tournant de ma carrière d'auteur. Elle a été très applaudie à la

Comédie-Française, où elle a été représentée. C'est grâce à cela que j'ai pu rencontrer la plus grande actrice de l'époque, Sarah Bernhardt, pour qui j'ai composé deux pièces ensuite, *La Samaritaine* (1897) puis *L'Aiglon* (1900).

▶▶ **C'est alors que vous avez écrit** Cyrano, **n'est-ce pas ?**

Tout à fait, je l'ai écrite en 1897. En décembre de la même année, elle a été représentée pour la première fois au Théâtre de la Porte-Saint-Martin, à Paris. Et si la pièce a provoqué l'enthousiasme des spectateurs, je crois que c'est aussi dû à l'interprétation de mon héros par l'acteur Coquelin, à qui d'ailleurs, j'ai dédié l'édition de la pièce. C'est en effet Coquelin, acteur comique reconnu de la Comédie-Française, qui m'avait passé commande du rôle de Cyrano. La préparation de la pièce a été le fruit de notre collaboration, et c'est même lui qui a assuré la mise en scène de l'œuvre. Tout Paris est venu applaudir la pièce ; ensuite, elle a été reprise rapidement sur de nombreuses scènes à travers le monde.

▶▶ *Pourtant, les critiques de théâtre de l'époque ne vous ont pas épargné, n'est-ce pas ?*

En effet, malgré le succès de la pièce et la Légion d'honneur qu'elle m'a apportée, on m'a accusé d'avoir composé quelques-uns des plus mauvais vers de toute la poésie dramatique française, pire même : d'avoir écrit en charabia. Pour ma pièce suivante, *L'Aiglon*, en 1900, les critiques furent encore plus sévères, mais le succès était de nouveau au rendez-vous. C'est d'ailleurs ce qui m'a permis d'être élu à l'Académie française l'année suivante.

▶▶ *Le reste de votre œuvre est peu lu. Pourquoi, selon vous ?*

Il est vrai qu'on me connaît surtout pour *Cyrano* ; pourtant j'ai aussi écrit de la poésie, comme mon *Ode à la musique* en 1890 ou *Le Vol de la Marseillaise* en 1915, qui porte sur la Première Guerre mondiale. Je pense que cette méconnaissance s'explique par le fait que c'est au théâtre que j'ai apporté une évolution notable en tentant de rendre le genre historique accessible à un plus large public. Mes pièces se soucient à la fois de l'amusement et de la profondeur et peuvent par conséquent plaire à tous. Il faut dire aussi que je suis mort à seulement cinquante ans, emporté par l'épidémie de grippe qui s'est déclarée juste après la Première Guerre mondiale.

Contexte historique et culturel

Représentée pour la première fois le 28 décembre 1897 au Théâtre de la Porte-Saint-Martin, la pièce connaît un des plus grands succès de l'histoire du théâtre. Dans une France déchirée par l'affaire Dreyfus et préoccupée par des tensions très vives avec l'Allemagne, le public trouve dans cette comédie héroïque une fraîcheur et un sens du panache que le théâtre de l'époque ne lui offrait plus.

Une sombre fin de siècle

À la fin du XIXe siècle, la France est très agitée politiquement et en proie au doute dans sa rivalité avec l'Allemagne. La guerre de 1870 s'est soldée non seulement par la cuisante défaite de la France, mais encore par la perte de l'Alsace et de la Lorraine, vécue comme une humiliation. Le pays se prépare donc à une revanche, en modernisant son armée et en s'alliant avec la Russie par exemple.

Il règne alors dans la société française un climat malsain, ce qui se traduit de manière aiguë au cours de l'affaire Dreyfus, de 1894 à 1899. Alfred Dreyfus, capitaine de l'armée française, est injustement condamné pour un acte d'espionnage militaire qu'il n'a pas commis. Dreyfus est juif et alsacien, or l'époque est marquée par la montée de l'antisémitisme et la haine des Allemands. Toute la classe politique et l'opinion publique se déchirent à propos de cette affaire judiciaire, qui devient vite la plus grave crise de la IIIe République.

Dans ce contexte, Rostand, lui-même partisan de la première heure de Dreyfus, cherche avec son personnage de Cyrano à redonner sourire et courage aux spectateurs en leur proposant un modèle brillant, non sans une certaine nostalgie du passé et, plus particulièrement, des valeurs de culture, de courage et de morale du XVIIe siècle.

Une pièce à rebours des courants littéraires de l'époque

Les dernières décennies du XIXe siècle ne sont pas de grandes années de théâtre : l'essentiel de l'effervescence littéraire a lieu en poésie et dans le roman. Pour identifier le théâtre qui trace la voie à celui de Rostand, il faut remonter aux années 1830, au cours desquelles le drame romantique a connu une fastueuse décennie, en particulier grâce à Hugo (*Cromwell*, 1827) et Musset (*Lorenzaccio*, 1834).

Par ailleurs, à l'époque où Rostand compose et fait représenter *Cyrano de Bergerac*, la littérature est dominée par le naturalisme, dont le chef de file est Zola, et qui tente de reproduire fidèlement la réalité, et par le symbolisme (mené par Verlaine et Mallarmé notamment), qui tente au contraire de révéler les réalités cachées de la vie par des écrits souvent érudits et abstraits. Or, la pièce de cape et d'épée de Rostand s'oppose à ces deux courants à la fois, en proposant une histoire simple et populaire, avec un héros sans peur et sans reproche qui séduit les spectateurs de l'époque.

Les débuts de la mise en scène

La pièce de Rostand voit le jour à une époque où l'idée de mise en scène est toute neuve. En effet, jusqu'au début du xxe siècle, les comédiens devaient interpréter leur rôle selon des conventions qui ne changeaient pas. Or, dans les années 1880, la notion de mise en scène se développe en France. L'art de la mise en scène, sur lequel paraît un premier traité en 1884, consiste à donner au spectacle un style homogène. À partir de 1887, au Théâtre-Libre de Paris, c'est ce que met en pratique systématiquement André Antoine, directeur du théâtre et acteur lui-même, ouvrant ainsi la voie à la mise en scène moderne. La lecture des nombreuses et précises didascalies de *Cyrano* atteste que Rostand a manifestement prêté la plus grande attention à la manière dont il souhaitait que sa pièce soit jouée. D'ailleurs, on raconte qu'à la fin d'une répétition au cours de laquelle Rostand s'était montré particulièrement minutieux sur d'infimes détails de mise en scène, le directeur du Théâtre de la Porte-Saint-Martin finit par s'exclamer: «Mon cher grand ami, vous avez des exigences imbéciles!»

Repères chronologiques

1848	**Début de la IIe République.**
1851	**Coup d'État de Louis Napoléon Bonaparte, qui devient l'empereur Napoléon III.**
1857	G. Flaubert, *Madame Bovary* (roman).
1862	V. Hugo, *Les Misérables* (roman).
1868	Naissance d'E. Rostand.
1870	**Défaite de Napoléon III contre la Prusse, proclamation de la IIIe République.**
1873	C. Monet, *Impression, soleil levant* (peinture).
1885	É. Zola, *Germinal* (roman).
1887	E. Rostand publie *Deux romanciers de Provence : Honoré d'Urfé et Émile Zola*, et reçoit un prix littéraire. S. Mallarmé, *Album de vers et de prose* (poésie).
1889	V. Van Gogh, *La Nuit étoilée* (peinture).
1894	**Début de l'affaire Dreyfus.**
1895	Invention du cinématographe par les frères Lumière.
1897	Représentation et publication de *Cyrano de Bergerac*.
1898	**Publication dans *L'Aurore* du « J'accuse » d'É. Zola, article en faveur de Dreyfus.**
1900	Xe Exposition universelle à Paris.
1901	E. Rostand est élu à l'Académie française.
1914	Déclenchement de la Première Guerre mondiale.
1918	**Fin de la Première Guerre mondiale.**
1927	Débuts du cinéma parlant.
1937	P. Picasso, *Guernica* (peinture).
1939	**Déclenchement de la Seconde Guerre mondiale.**
1945	**Bombe atomique sur Hiroshima. Fin de la Seconde Guerre mondiale.**
1946	**Début de la IVe République.**

Les grands thèmes de l'œuvre

L'amour et le langage amoureux

Dans le second acte, Cyrano affirme à Christian qu'il appartient à la catégorie de «ceux-là qui pour amante n'ont / Que du rêve soufflé dans la bulle d'un nom!» (II, 10). De fait, il est vrai que les personnages qui composent le triangle amoureux de la pièce ont besoin des mots pour exister aux yeux de l'autre.

Cyrano, le virtuose des mots condamné au rôle de souffleur

En s'alliant à Christian, Cyrano est assuré de pouvoir laisser libre cours à son lyrisme amoureux. Christian n'est donc peut-être pas tant le double de Cyrano que sa voix, mais en parlant pour lui, il le rend du même coup absent. Lors de la scène du balcon, d'ailleurs, l'inverse se produit: Cyrano peut, à la faveur de l'obscurité, reprendre sa voix et parler pour lui-même. Le pacte conclu par les deux personnages était condamné à l'échec d'emblée, prouvant que l'amour n'est que des preuves d'amour, que l'amour n'existe que par sa déclaration.

Toutefois, malgré son amour des mots, Cyrano critique le langage précieux, qui manque d'authenticité. L'amour est indissociable du langage amoureux, mais celui-ci ne doit pas être superficiel, au risque «Que l'âme ne se vide à ces passe-temps vains, / Et que le fin du fin ne soit la fin des fins!» (III, 7).

Roxane, la précieuse devenue silencieuse

Pour Roxane, le langage amoureux est une nécessité, elle a besoin de l'image positive que lui renvoient les flatteries que l'autre lui adresse. Pour elle, l'amour ne peut exister sans les mots d'amour, d'où sa surprise lorsque Cyrano dit vouloir employer un langage plus naturel: «Mais l'esprit?...» (III, 7).

Cependant, ce personnage ne se limite pas à cet aspect un peu caricatural de précieuse narcissique: Roxane est aussi celle qui berne De Guiche (III, 3), arrange son propre mariage (III, 11) et se rend dans un camp militaire assiégé par l'ennemi (IV, 4). Peut-être est-ce le personnage qui évolue le plus dans la pièce : de précieuse et mondaine, elle se retire dans un couvent, loin de la société. Cyrano est alors le dernier à lui porter des nouvelles du monde, chaque semaine. Aussi est-elle condamnée à vivre dans le silence quand il meurt.

Christian, un personnage qui échoue à trouver sa voix

Christian le dit lui-même, il est voué au silence ou aux banalités : « Oui, j'ai certain esprit facile et militaire. / Mais je ne sais devant les femmes que me taire » (II, 10). Ce n'est que grâce à Cyrano que son personnage naît vraiment : « Tu marcheras, j'irai dans l'ombre à ton côté : / Je serai ton esprit, tu seras ma beauté » (II, 10). Mais ce pacte est tragique pour tous deux : Cyrano se condamne à l'absence et à l'obscurité, Christian est condamné à n'être que le support d'une voix qui provient d'un autre.

Quand Christian meurt, Cyrano n'est pas pour autant libéré du pacte, car c'est le souvenir de Christian, son héritage en quelque sorte, que Roxane chérit. Pourtant, on peut penser que Christian, au siège d'Arras, se sacrifie afin de rendre possible l'amour entre Cyrano et Roxane. En fait, il condamne pour toujours son ami au silence (« C'est fini, jamais plus je ne pourrai le dire ! », IV, 10).

Une leçon de panache

Un univers de cape et d'épée

Le Bret dit de Cyrano qu'il possède une « âme mousquetaire » (II, 8). Rostand s'amuse d'ailleurs à faire intervenir D'Artagnan (I, 4), en clin d'œil au spectateur. Cyrano possède les attributs typiques de l'univers de cape et d'épée, depuis le chapeau à panache jusqu'à l'épée prompte à sortir de son fourreau. Les passages relevant de cet univers de cape et d'épée, en scène ou hors-scène, sont nombreux : Cyrano défie collectivement le parterre de l'Hôtel de Bougogne, puis le duel en vers est immédiatement suivi, hors scène, du combat de la Porte de Nesle, au cours duquel Cyrano affronte une centaine d'adversaires. De même, lors du siège d'Arras, Cyrano ne cesse d'aller et venir entre le camp et les lignes espagnoles, par amour pour Roxane, par loyauté envers Christian, par besoin, enfin, de porter sa parole écrite à Roxane : il multiplie les gestes héroïques. L'épée de Cyrano demeure sa «protectrice» (I, 4) jusqu'au bout, puisqu'il meurt debout, l'épée à la main, affrontant des ennemis allégoriques. Enfin, il ne faut pas oublier Roxane, qui se rend en zone de guerre, traverse les lignes ennemies et berne les assiégeants avec un panache surprenant.

Le panache moral

Si Cyrano affronte une centaine d'adversaires à la Porte de Nesle, c'est par amitié pour Lignière; s'il refuse toute protection quitte à s'attirer des ennuis sérieux, c'est par souci d'indépendance; s'il brave la mort chaque jour lors du siège d'Arras, c'est par amour et par respect de la parole donnée. Toutes les actions héroïques sont sous-tendues par des valeurs morales élevées et exigeantes: la pièce fait l'éloge de la bravoure, de l'honneur, du respect du serment, du sens du sacrifice, de l'indépendance matérielle et intellectuelle. Cyrano incarne l'élégance morale face à l'élégance matérielle et superficielle de De Guiche. Cyrano a une conception extrême de ces valeurs, il les cultive jusqu'à l'exagération et quelles qu'en soient les conséquences, comme le lui reproche Le Bret (II, 8). C'est d'ailleurs pour cette raison que De Guiche rapproche Cyrano de Don Quichotte dans la même scène: les valeurs de Cyrano font de lui un personnage idéaliste, en décalage avec le reste de la société.

Faire rire pour renforcer l'émotion

Cyrano fonde son panache sur des gestes héroïques et sur des valeurs haut placées, on l'a vu, mais aussi sur le langage qui les met en valeur. Par son art de la repartie et du jeu de mots, il met un point d'honneur à réjouir son audience (double, puisqu'il s'agit des personnages présents sur scène mais aussi des spectateurs de la pièce) en ridiculisant ses adversaires. C'est par exemple le cas lorsqu'il répond avec impertinence aux injures du Vicomte, saluant comme pour se présenter: «Ah?... Et moi, Cyrano-Savinien-Hercule / De Bergerac» (I, 4). Mais cette maîtrise des mots se révèle peut-être plus sublime encore lorsque Cyrano parvient à injecter du comique là où, *a priori*, il n'y en a pas. C'est déjà le cas dans la tirade du nez, chargée d'auto-dérision: Cyrano, amoureux malheureux se pensant trop laid pour être aimé, refuse de s'apitoyer sur son sort et fait de son nez une arme comique. Plus loin, la scène du balcon mêle comique et lyrisme: «D'ailleurs vos mots à vous, descendent: ils vont vite. / Les miens montent, Madame: il leur faut plus de temps!» (III, 7). Durant son agonie,

agonie, même, Cyrano mêle l'humour au désespoir : « C'est très bien. J'aurai tout manqué, même ma mort. » Cette capacité à faire surgir le comique dans les situations les plus sombres témoigne d'une lucidité, d'une force de caractère et d'une humilité hors du commun, et confère une grande finesse aux scènes tragiques, toujours tout en nuances.

La comédie a longtemps été considérée comme un genre inférieur aux autres, plus sérieux et donc plus dignes d'attention. Mais Rostand donne ses lettres de noblesse au comique en mêlant différents tons dans toute la pièce.

Une leçon de panache théâtral

Rostand, en mêlant les genres, a fait de sa pièce tout à la fois une comédie de cape et d'épée (acte I), un drame héroïque (acte IV), un mélodrame (acte III) et une tragédie (acte V). La diversité des styles qu'il met en œuvre fait de sa pièce une sorte de grande cuisine des langages les plus divers, à l'image de la boutique de Ragueneau (acte II), où s'élaborent ensemble les pâtés et les choux, les vers courts et les vers longs, le sublime et le grotesque. Cette mixture est particulièrement visible dans le jeu des rimes et des vers. Ils expriment en effet nettement les contrastes entre le beau et le laid (Christian est beau, Cyrano a « bobo », II, 6), entre le comique et l'héroïque (« ... ayez pitié de mon fourreau : / Si vous continuez, il va rendre sa lame », I, 4).

La pièce n'emprunte d'ailleurs pas qu'aux différents genres théâtraux : les morceaux de bravoure (tirade du nez, duel en vers, recette poétique, tirade des « Non merci ! », épitaphe finale) révèlent l'éloquence des personnages qui les prononcent, mais aussi celle du dramaturge, et contribuent au panache de la pièce.

Outre cette diversité dans les langages, Rostand a placé dans sa pièce toutes les « scènes à faire » attendues au théâtre : duel, scène d'aveu amoureux, scène de reconnaissance, mort d'un personnage... De surcroît, la pièce prévoit la présence de personnages inhabituellement nombreux sur scène et de décors très variés et foisonnants. Chaque acte prend place dans un lieu différent et très typé ; deux lieux intérieurs, trois lieux extérieurs : surtout pas d'unité de lieu ici.

Tous les théâtres sont dans *Cyrano*, comme si Rostand avait cherché à emprunter le meilleur de chaque genre et de chaque pièce pour former un assemblage hétéroclite mais réussi, et surtout un théâtre tout en panache.

Des ouvrages à lire

Des romans de cape et d'épée

• Alexandre Dumas, *Les Trois Mousquetaires* [1844], Gallimard jeunesse, «Folio junior», 2010.
Louis XIII demande à son épouse de porter son collier de diamants au prochain bal. Mais la reine a offert ces joyaux à son amant, le duc de Buckingham. D'Artagnan, Athos, Porthos et Aramis ont pour mission de retrouver le bijou. Peut-être le plus divertissant roman d'aventures qui soit, auquel Rostand fait référence dans sa pièce.

• Paul Féval, *Le Bossu*, [1857], L'École des loisirs, «Classiques abrégés», 2006.
Intrigues, duels, guets-apens et coups de théâtre sont les ingrédients de cette histoire de vengeance, où l'on voit le chevalier de Lagardère poursuivre pendant quinze ans l'assassin de son ami. Cet escrimeur sans égal se déguise en bossu pour mieux passer inaperçu dans le Paris menaçant de la Régence.

• Théophile Gautier, *Le Capitaine Fracasse* [1863], Gallimard, «Folio classique», 2002.
Un jeune noble ruiné s'enrôle par amour dans une troupe de théâtre. Son nom de comédien sera aussi un nom de guerre: Capitaine Fracasse.

D'enlèvements en duels, Gautier tisse un parallèle frappant entre l'homme d'épée et l'homme de théâtre, comme Rostand.

L'amour impossible

• William Shakespeare, *Roméo et Juliette* [1590], trad. de l'anglais par J.-M. Déprats, Belin-Gallimard, « Classico », 2011.
Roméo et Juliette s'aiment, mais ils viennent de familles qui se détestent à mort. La plus célèbre et la plus universelle histoire d'amour au théâtre est aussi la plus tragique. Par un auteur qui influença profondément les auteurs français du xixe siècle, de Hugo à Rostand.

• Victor Hugo, *Notre-Dame de Paris*, [1831], GF-Flammarion, « Étonnants classiques », 2006 (extraits).
Comme dans Cyrano de Bergerac, *une femme belle, Esmeralda, est aimée de deux hommes : l'un beau, Phœbus, l'autre laid, Quasimodo. Chez Hugo, tout s'inverse, l'ombre en lumière et la difformité en grandeur d'âme. Un roman à découvrir dès le collège en lecture abrégée.*

Sur l'époque de Cyrano

• Molière, *Les Précieuses ridicules*, [1659], Gallimard, « Folio théâtre », 1998.
Deux jeunes bourgeoises de province montées à Paris se piquent de préciosité. Un peu trop au goût de leurs amoureux éconduits, qui décident de leur jouer un sacré tour. Molière pastiche à merveille le style et les manières de la préciosité. Une grande œuvre à étudier dès la classe de 3e.

• Arthur Ténor, *Guerre secrète à Versailles*, Gallimard Jeunesse, 2003.
À quinze ans, Jean de Courçon, fils d'un noble auvergnat ruiné, veut devenir mousquetaire, mais son père décide qu'il sera page à Versailles. À la cour, il découvre les pièges sans nombre et se fait un ennemi mortel en la personne de François de Champin-Belcourt. Mais c'est sans compter sans l'appui de la Princesse Palatine, belle-sœur du roi.

Des films à voir

(Toutes les œuvres citées ci-dessous sont disponibles en DVD.)

Une adaptation et une captation de la pièce

• *Cyrano de Bergerac*, Jean-Paul Rappeneau d'après la pièce d'Edmond Rostand [1897], couleur, 1990.
Admirable adaptation avec Gérard Depardieu dans le rôle-titre, rythmée, parfaitement interprétée, soucieuse de respecter le texte, malgré quelques coupes.

• *Cyrano de Bergerac*, mise en scène de Denis Podalydès [2006-2010], enregistrée à la Comédie-Française, Éditions Montparnasse, 2008.
Depuis 2006, Cyrano est de nouveau joué à la Comédie-Française, et avec quel éclat ! Denis Podalydès, porté par l'idée que la pièce de Rostand est un essai de théâtre total, prête un soin méticuleux aux décors aussi bien qu'aux costumes, sans oublier le texte qui résonne tantôt avec fracas, tantôt comme un murmure.

Des films sur le milieu du théâtre au XVIIe siècle

• *Molière*, Ariane Mnouchkine, couleur, 1976.
De la naissance de sa vocation à sa légendaire mort en scène, une fresque qui dépeint toute la vie et toute la carrière du dramaturge et comédien français le plus marquant du Grand Siècle, Jean-Baptiste Poquelin, dit Molière.

• *Marquise*, Véra Belmont, couleur, 1997.
La marquise du Parc, incarnée par Sophie Marceau, débute sa carrière avec Molière, puis tombe dans les bras de Racine, pour qui elle mourra d'amour. Le milieu du théâtre a ses intrigues aussi en dehors de la scène et s'avère être un dangereux terrain de rivalités et d'intérêts parfois meurtriers.

Des films de cape et d'épée

• *Scaramouche*, George Sidney, couleur, 1952.
En France, alors que la Révolution éclate, André Moreau est contraint de se cacher sous le masque du comédien Scaramouche afin de venger son ami assassiné par un noble et duelliste hors pair, le marquis de Mayne.

• *Le Bossu*, Philippe de Broca d'après le roman de Paul Féval [1857], couleur, 1997.

« Si tu ne viens pas à Lagardère, Lagardère ira à toi ! » Tel est le serment lancé par Lagardère au comte de Gonzague, qui a assassiné son ami, le duc de Nevers, pour capter la fortune de son riche cousin. Après avoir sauvé Aurore, la fille de Nevers, des griffes de Gonzague, il faudra seize ans au chevalier de Lagardère pour venger son ami et enfin trouver l'amour.

Un opéra à écouter

• *Cyrano de Bergerac*, Franco Alfano, 1936.

Un opéra en quatre actes adapté de la pièce de Rostand. À écouter, en particulier, la récente version avec Roberto Alagna dans le rôle-titre, parue chez Deutsche Grammophon en 2006.

Un lieu à visiter

• **Musée Arnaga-Edmond Rostand, Cambo-les-Bains, Pyrénées-Atlantiques.**

Au cœur du Pays basque, dans la Gascogne des cadets, la villa de Rostand sert aujourd'hui de musée qui célèbre la mémoire et l'œuvre de l'écrivain.

@ Des sites Internet à consulter

Sur Edmond Rostand

• http://www.edmond-rostand.com

Sur l'Académie française

• http://www.academie-francaise.fr

Pour comprendre les enjeux de l'institutionnalisation de la vie littéraire par Richelieu, rien de mieux sans doute que de commencer par se renseigner sur sa plus grande invention.

Sur Cyrano de Bergerac

• http://www.cyranodebergerac.fr

Dans la même collection

CLASSICOCOLLÈGE

Pour obtenir plus d'informations, bénéficier d'offres spéciales enseignants ou nous communiquer vos attentes, renseignez-vous sur **www.collection-classico.com** ou envoyez un courriel à **contact.classico@editions-belin.fr**

Cet ouvrage a été composé par Palimpseste à Paris.

Imprimé en Espagne par Novoprint (Barcelone)
Dépôt légal : juin 2011 – N° d'édition : 70115640-07/oct16